中華國學經典百部

精華本

庄子

［战国］庄周 著
胡乃波 译

中国书店

图书在版编目（CIP）数据

庄子 /（战国）庄周著；胡乃波译 .—北京：中国书店，2023.10

（中华国学经典百部：精华本）

ISBN 978-7-5149-2963-8

Ⅰ . ①庄… Ⅱ . ①庄… ②胡… Ⅲ . ①《庄子》—译文 Ⅳ . ① B223.54

中国版本图书馆 CIP 数据核字（2022）第 075321 号

庄子

〔战国〕庄周 著　胡乃波 译

责任编辑：田野

出版发行：中国书店

地　　址：北京市西城区琉璃厂东街 115 号

邮　　编：100050

电　　话：（010）63171753（总编室）

（010）63017857（发行部）

印　　刷：三河市嘉科万达彩色印刷有限公司

开　　本：787mm × 1092mm　1/32

版　　次：2023 年 10 月第 1 版第 1 次印刷

字　　数：168 千

印　　张：6（全 300）

书　　号：ISBN 978-7-5149-2963-8

定　　价：1490.00 元（全 50 册）

前言

庄子名周，出生年不详，生活在战国时代前期。他是宋国蒙人，曾经担任过蒙地漆园吏。当时周已经名存实亡，社会动荡不安，人民生活在水深火热之中。庄子身处黑暗的政治当中，对苦难中的百姓寄予了无限的同情。

我们现在所看到的《庄子》，是由晋代郭象整理的，分为《内篇》七篇、《外篇》十五篇、《杂篇》十一篇，共三十三篇，本书就是从这三十三篇中选取重点篇目进行解读。其实《庄子》最早被记录在《汉书·艺文志》，原为五十二篇，但著作未能全部流传下来。

而关于著作的真伪问题，历史上众说纷纭，不少学者通过历史资料或学术思想及历史事件等对其进行研究。其中以宋代苏轼为代表，他认为《杂篇》中的《让王》《渔父》《说剑》《盗跖》“浅陋而不入道”，或有诋毁孔子之意。一般认为，《内篇》为庄子自著，《外篇》除了庄子自著之外还有部分是庄子后学所作。而《杂篇》中《说剑》一篇更为纵横家言，与庄学并无太大的关系。

庄子的思想观点秉承老子而有所发展，但在核心思想上，对“道”的认识是一致的。“道”的内涵可归纳为两点：一是指宇宙的本源，二是指自然客观规律。

庄子的哲学思想以“无为”的特性，由自然层面扩大到社会层面，使其思想呈现出强烈的出世倾向。

庄子的美学观点与儒家截然相反，并与之形成了鲜明的对照。庄子认为，时代的衰微与性情的丧失，源于物质欲望的膨胀与艺术等的出现和发展，他认为只有抛弃人为的音乐，才会使人的耳目恢复聪明；只有放弃了机械，才能获得真正的技能。只有这样，人类才能返璞归真。

《庄子》也是一部杰出的文学著作，是庄子以奇异的写作手法和浪漫主义精神融汇而成的散文集，在先秦文学中占有独一无二的地位。首先，他开创了“三言创作论”的理念。这一理论在《庄子》中得到充分的实践。庄子善于创造奇特、怪异的艺术意境，想象力非常丰富，而且善于使用讽刺的手法，以幽默的方式揭示社会的黑暗。

庄子对后世影响很大，主要以庄子的思想及其文学成就而著名。

在思想方面，庄子继承和发展了老子“道”的学说，在当时，形成了儒、墨、道三足鼎立的局面，后来作为儒道释三家思想之一，对后世中国近两千年的社会文化发展产生了深远的影响。

在文学方面，庄子思想对各代的文学家都产生了很大的影响，例如，陶渊明、苏轼、曹雪芹等人都从各个层面汲取了很多有意义的东西，铸就了各自在文学史上的突出地位。

不管是现在还是未来，我们都深切地相信人们会更多地从《庄子》这本书中体会到更高深的思想，获得更好的教益。

目录

杂　篇

内篇

逍遥游

【题解】

本篇是《庄子》中非常著名的代表篇目之一，充满了奇特想象及浪漫色彩，形象地运用寓言和比喻，具有非常独特的风格。《逍遥游》是庄子哲学思想中一个明确而重要的阐述。全篇提倡人们摆脱一切外界束缚，无所凭依，从而去追求精神世界完全自由的状态。在庄子的哲学思想中，客观现实中的每一件事物，甚至人类本身，都是对立又相互联系的，要想无所依凭，最重要的是忘记自己。所以他希望所有的东西都能够顺其自然，从现实中脱离出来，将人类生活与万物的生存合为一体；提倡不停留于任何事物之中，追求完全的、绝对的精神自由。

【原文】

北冥①有鱼，其名曰鲲。鲲之大，不知其几千里也。化而为鸟，其名为鹏。鹏之背，不知其几千里也。怒而飞，其翼若垂天之云。是鸟也，海运则将徙于南冥。南冥者，天池也。《齐谐》者，志怪者也。《谐》之言曰："鹏之徙于南冥也，水击三千里，抟扶摇而上者九万里，去以六月息者也。"野马也，尘埃也，生物之以息相吹也。天之苍苍，其正色邪？其远而无所至极邪？其视下也，亦若是则已矣。

且夫水之积也不厚，则其负大舟也无力。覆杯水于坳堂之上，则芥为之舟，置杯焉则胶，水浅而舟大也。风之积也不厚，则其负大翼也无力，故九万里则风斯在下矣。而后乃今②培风，背负青天而莫之夭阏③者，而后乃今将图南。蜩与学鸠[4]笑之曰："我决[5]起而飞，抢[6]榆枋，时则不至，而控于地而已矣。奚以之九万里而南为？"适莽苍者，三飡而反，腹犹果然；适百里者，宿舂粮；适千里者，三月聚粮。之二虫又何知？小知不及大知，小年不及大年。奚以知其然也？朝菌不知晦朔，蟪蛄[7]不知春秋，此小年也。楚之南有冥灵[8]者，以五百岁为春，五百岁为秋；上古有大椿者，以八千岁为春，八千岁为秋，此大年也。而彭祖乃今以久特闻，众人匹之，不亦悲乎？

汤之问棘也是已："穷发之北有冥海者，天池也。有鱼焉，其广数千里，未有知其修者，其名曰鲲。有鸟焉，其名为鹏，背若太山，翼若垂天之云，抟扶摇羊角而上者九万里，绝云气，负青天，然后图南，且适南冥也。斥鴳笑之曰：'彼且奚适也？我腾跃而上，不过数仞而下，翱翔蓬蒿之间，此亦飞之至也。而彼且奚适也？'"此小大之辩也。

故夫知效一官、行比一乡、德合一君，而征一国者，其自视也亦若此矣。而宋荣子[9]犹然笑之。且举世而誉之而不加劝，举世而非之而不加沮，定乎内外之分，辩乎荣辱之境，斯已矣。彼其于世，未数数然也。虽然，犹有未树也。夫列子[10]御风而行，泠然善也，旬有五日而后反。彼于致福者，未数数然也。此虽免乎行，犹有所待者也。若夫乘天地之正，而御六气之辩，以游无穷者，彼且恶乎待哉？故曰：至人无己，神人无功，圣人无名。

【注释】

①冥：海。"北冥"，就是北方的大海。传说北海无边无际，水深而黑。②而后乃今："今而后乃"的倒装，是这之后方才。③夭阏（è）：阻拦。④蜩（tiáo）：蝉。学鸠：一种小灰雀，这里泛指小鸟。⑤决（xuè）：迅疾的样子。⑥抢（qiāng）：撞到。⑦蟪蛄（huì gū）：即寒蝉，春生夏死或夏生秋死。⑧冥灵：传说中的大龟，一说树名。⑨宋荣子：一名宋钘（xíng），宋国人，战国时期思想家。⑩列子：郑国人，名叫列御寇，战国时期思想家。

【译文】

北方的海里有一条大鱼，叫作鲲。鲲的身体，不知道有几千里大。化成一只鸟，就叫鹏。鹏的脊背，不知道有几千里长。当它振翅而飞时，那双翅就像天边的流云。这只鸟，当海上波涛涌起时，就迁徙到南方的大海去。南方的大海是个天然巨池。《齐谐》是一部记载奇闻异事的书，书上说："鹏鸟向南海迁徙，翅膀一拍，水面能激起三千里浪花，狂暴的海风盘旋而上一直冲到九万里云霄，它是借着六月的大风而去的。"野马一样奔腾的雾气，阳光下纷纷扬起的尘埃，这都是万物相互吹拂的结果。天穹苍苍，难道这就是它真正的颜色吗？还是因为太高远寥廓没法看到它的尽头呢？从高空往下看，也不过就是这个样子吧。

水积聚得不够深，就没有力量载起大船。把一杯水倒在堂前洼处，那么放一棵小草便可以当作"大船"，但是放个杯子，它就沉住不动了，是因为水太浅，"船"太大了。风积累的力量不强大，它就不能拖起巨大的翅膀。所以，狂风在鹏鸟身下，它就能御风而行，飞出九万里，背负青天，没有什么能够阻挡它，然后它才会飞到南方去。寒蝉和小鸟嘲笑道："我们从地上即刻起飞，撞着榆树和檀树，飞不远就要落到地上，为什么一定要向南飞上九万里的高空呢？"去郊外，只需要带上三顿粮食，回来也不会饿肚子；到百里之外，要捣舂一夜的粮食作为准备；去千里之外，得准备三个月的粮食。蝉和小鸟这两个小家伙知道什么！小聪明不能和大智慧相比，寿命短的不能和寿命长的相比。为什么呢？朝生暮死的菌类不会懂得什么是一个月，寒蝉也不会明白什么是一年，这就是"小年"。楚国的南方有一只叫冥灵的大龟，在它眼里，五百年只是一春或一秋；上古时候还有棵叫大椿的树，在它眼里，八千年才是一春或一秋，这就是"大年"。彭祖直到今天还以长寿而闻名于世，人们都想像他那样，不是很可悲吗？

商汤这样问棘："在寸草不生的北方，有一片很深的海，那就是天池。在那生长着一种鱼，它的身体长几千里，没有人知道确切的长度，它名叫鲲。还有一种鸟，叫鹏，它的脊背有大山那么高，伸展的双翅像云朵一样。它乘着羊角般的旋风，直上九万里云霄，青天在上，穿过万里层云，向南方飞去，一直飞到南海。斥鷃嘲笑它说：它想飞到哪儿去呀？我努力向上一跳，才飞几丈高就落下了，只能在杂草里游荡盘旋，这是我最大的能力了。而它想飞到哪儿去呢？”这就是小和大的差异。

因此，那种有能力做个一官半职，能满足乡里百姓的诉求，让君王感到满意，取得全国人信任的人，他们就是这样看待自己的。但宋荣子依然嘲笑他们。宋荣子能够做到：世上的人都赞颂他，他也不会更加勤勉；世上的人都责备他，他也不会更加沮丧。他能划清自己与外界的界限，能分辨荣誉和耻辱的区别，不过如此罢了。宋荣子对于世俗的声誉并没有汲汲去追求。但即使这样，他还没有达到最高境界。列子能乘风而起，轻盈潇洒，半个月以后才会回来。他从来不去急急忙忙寻求什么幸福。他这样虽然不用劳苦奔波，但还是有所凭借啊。至于遵照万物的规律，把握“六气”的变化，游荡在无边无际的天地间，他还能依靠什么呢？所以说，有道德修养的“至人”能到达无我之境，超然物外的“神人”能忘却功名利禄，至善至美的“圣人”从来不希望得到任何声望。

【原文】

尧[①]让天下于许由，曰：“日月出矣，而爝火[②]不息，其于光也，不亦难乎？时雨降矣，而犹浸灌，其于泽也，不亦劳乎？夫子立[③]而天下治，而我犹尸[④]之，吾自视缺然，请致[⑤]天下。”许由曰：“子治天下，天下既已治也。而我犹代子，吾将为名乎？名者，实之宾也，吾将为宾乎？鷦鹩[⑥]巢于深林，不过一枝；偃鼠饮河，不过满腹。归休乎君，予无所用天下为！庖人虽不治庖，尸祝不越樽俎[⑦]而代之矣。”

肩吾问于连叔曰：“吾闻言于接舆，大而无当，往而不返。吾惊怖其言。犹河汉而无极也，大有径庭，不近人情焉。”连叔曰：“其言谓何哉？”曰：“藐姑射之山，有神人居焉。肌肤若冰雪，绰约若处子，不食五谷，吸风饮露，乘云气，御飞龙，而游乎四海之外。其神凝，使物不疵疠⑧而年谷熟。吾以是狂而不信也。”连叔曰：“然。瞽⑨者无以与乎文章⑩之观，聋者无以与乎钟鼓之声。岂唯形骸有聋盲哉？夫知亦有之！是其言也，犹时女也。之人也，之德也，将旁礴⑪万物以为一，世蕲乎乱，孰弊弊⑫焉以天下为事！之人也，物莫之伤，大浸稽天而不溺，大旱金石流、土山焦而不热。是其尘垢秕糠，将犹陶铸尧舜者也，孰肯以物为事？”

宋人资⑬章甫⑭而适诸越，越人断发文身，无所用之。

尧治天下之民，平海内之政，往见四子藐姑射之山，汾水之阳，窅然⑮丧其天下焉。

【注释】

①尧：我国历史上传说时代的圣明君主。②爝（jué）火：炬火，将木材蘸上油脂燃起的火把。③立：立位，登基。④尸：主持。⑤致：给予。⑥鹪鹩（jiāo liáo）：一种善于筑巢的鸟。⑦樽俎（zǔ）：樽是盛酒的器具，俎是盛肉的器具，两者都是厨师必备的器具，借指厨师。⑧疵疠（cī lì）：疾病，指灾害。⑨瞽（gǔ）：盲。⑩文章：文彩。⑪旁礴：混同。⑫弊弊：忙碌疲惫的样子。⑬资：买进（并卖出）。⑭章甫：殷代的一种帽子。宋人是殷人的后裔，所以还保持殷人的旧俗。⑮窅（yǎo）然：怅然若失的样子。

【译文】

尧想把王位让给许由，对他说：“太阳和月亮都在天上，但炬火还在燃烧，它想与日月同辉，岂不是很困难？雨停了，但还是不停地给土地浇水，这么费力的人工灌溉和雨对大地的滋润相比，不是太徒劳了吗？先生如果能担任君王，必定会把国家治理得很好。可是我还白白地坐在这里，我越来越觉得自己能力不足，希望你能答应接任我的职位。”许由说：“你治理国家，国家已经很太平了，如果我还来替换你，我不就是为了一个名声吗？‘名’不过是‘实’的附属品，我为什么要追求这种附加的东西？鹪鹩在林子里筑巢，只占用一段树枝；鼹鼠去河边喝水，也只是喝满一肚子。你还是断了你的念想吧，天下对我来说毫无用处。即使厨师不去下厨，祭司也不会越俎代庖的。”

肩吾问连叔：“我听接舆的谈话，发现他大话连篇，一说起来就没有边际，回不到最初的话题上。太让我吃惊了，他说话就像天上的银河一样没有尽头，和一般人完全不同，太不合情理了。”连叔说：“他都说了些什么？”肩吾说：“他说，远方的姑射山上住了个仙人，皮肤白得像雪，身材美得像小姑娘，能让世间万物都不生病，那里年年都会丰收。我觉得他在吹牛，毫不可信。”连叔听完说：“的确，盲人是不能同常人一样欣赏图纹和色彩的，聋人也不能和常人一起聆听动人的音乐。但难道只有身体上有盲和聋吗？思想上一样有残疾。而你就是这样的啊。那位神仙的修为与世间万物紧密相连，希望天下能太平安乐，谁还会像他那样把治理天下当作责任呢？像他那样，病害不能伤害他，滔天洪水不能淹没他，旱灾能让金石熔化，让山丘焦裂，却都不会让他感到灼热。连他留下的尘埃和瘪谷都能造就尧舜那样的圣人，他怎么会把凡俗世务当作一回事呢？”

有个宋国人买了帽子到越国去卖。越国人不留头发，身上有文身，根本用不上它。

尧将百姓治理好，稳定了国内的政局，然后去了姑射山和汾水北面。他拜见四位高人后，不禁怅然，居然忘记了自己还是一国之君。

【原文】

惠子[①]谓庄子曰：“魏王[②]贻我大瓠之种，我树之成，而实五石。以盛水浆，其坚不能自举也。剖之以为瓢，则瓠落[③]无所容。非不呺然[④]大也，吾为其无用而掊之。”庄子曰：“夫子固拙于用大矣。宋人有善为不龟[⑤]手之药者，世世以洴澼[⑥]絖[⑦]为事。客闻之，请买其方以百金。聚族而谋曰：‘我世世为洴澼絖，不过数金，今一朝而鬻技百金，请与之。’客得之，以说吴王。越有难，吴王使之将，冬与越人水战，大败越人，裂地而封之。能不龟手，一也；或以封，或不免于洴澼絖，则所用之异也。今子有五石之瓠，何不虑以为大樽而浮于江湖，而忧其瓠落无所容？则夫子犹有蓬之心也夫！”

惠子谓庄子曰：“吾有大树，人谓之樗[8]。其大本拥肿而不中绳墨，其小枝卷曲而不中规矩，立之涂，匠人不顾。今子之言，大而无用，众所同去也。”庄子曰：“子独不见狸狌乎？卑身而伏，以候敖者，东西跳梁，不辟高下，中于机辟，死于罔罟。今夫斄牛，其大若垂天之云。此能为大矣，而不能执鼠。今子有大树，患其无用，何不树之于无何有之乡，广莫之野，彷徨乎无为其侧，逍遥乎寝卧其下？不夭斤斧，物无害者，无所可用，安所困苦哉！”

【注释】

①惠子：宋国人，姓惠名施，做过梁惠王的相。②魏王：即梁惠王。③瓠落：意思同“廓落”，很大很大的样子。④呺（xiāo）然：庞大而又中空的样子。⑤龟（jūn）：通“皲”，皮肤受冻开裂。⑥洴澼（píng pì）：漂洗。⑦絖（kuàng）：通“纩”，棉絮。⑧樗（chū）：一种高大的落叶乔木，但木质粗劣不可用。

【译文】

惠子对庄子说：“魏王给了我大葫芦的种子，我把它种下去，结出了五石大的果子来。拿大葫芦去装水，它又受不了水的压力；把它切开做瓢，大得哪儿都放不下。这葫芦实在没什么用处，我就把它砸烂了。”庄子说：“先生您真是不会使用大的工具啊。宋国有户人家，专门调制治疗手脚皲裂的药，世世代代都以漂洗棉絮为生，只能赚得很少的钱。有人听说了这种药物，想出高价买下他们的秘方。他们全家在一起商议：‘我们年复一年在河里洗棉絮只能赚几个钱而已，现在，一个药方就能赚百余倍，不如就卖给他吧。’那个人拿到药方，来到了吴国。恰逢越国攻打吴国，吴王派他率军迎战。时逢冬季，两军在水上作战，战士很容易皲手，于是那人将配好的药分给他们，结果吴国大败越国。吴王奖给那人大块封地。一样的药方，有人用它来领赏，有人只能靠它在河里洗棉絮，这就是使用方法的差异。现在，你有这么大的葫芦，怎么不想想用它做一个腰舟，泛舟江上，却忧虑它太大无处可容？你的心被蓬草塞住了吗？”

惠子又说：“我还有棵大树，叫樗。树干上长了疙瘩，不能用来做平直的材料；树枝弯弯曲曲，也不能做成方正的东西。虽然它就长在路边，但是木匠都不理睬它。你现在说的话空洞无用，会遭到人们鄙弃的。”庄子说：“先生，您没见过野猫和黄鼠狼吗？它们匍匐在地上，等着小动物出洞觅食或者嬉戏，上蹿下跳，忽高忽低，不小心就落入猎人的陷阱，死在网里。还有犛牛，它硕大的身躯像云一样，本领很大，却不能抓住老鼠。现在，你有这么一棵大树，竟担心它没有用处，为什么不把它栽到无边无际的旷野中呢，你就能悠然自在地在树下散步或躺卧。那大树也不会遭人砍伐，不会受到任何伤害。正因为没有什么用武之地，才不会有什么痛苦啊。”

齐物论

【题解】

本篇是《庄子》代表篇目之一。《齐物论》主要讲述的是“齐物”与“齐论”两种观点。庄子觉得世间万物涵盖了人的品德和感情，从表面来讲虽然是千差万别，但从根本上来说又是归一的，而这就是所谓的“齐物”。庄子还觉得不同人的看法和观点，表面上来看存在很大差别，但世间万物既是归一的，那么任何言论从根本上讲也应是归一的，根本没有什么所谓的不同，这就是所谓的“齐论”。“齐物”和“齐论”就是本篇的主旨。

【原文】

南郭子綦[1]隐机而坐，仰天而嘘，荅焉[2]似丧其耦。颜成子游[3]立侍乎前，曰：“何居乎？形固可使如槁木，而心固可使如死灰乎？今之隐机者，非昔之隐机者[4]也。”子綦曰：“偃，不亦善乎，而[5]问之也？今者吾丧我，汝知之乎？女闻人籁[6]而未闻地籁，女闻地籁而未闻天籁夫！”子游曰：“敢问其方。”子綦曰：“夫大块噫气，其名为风，是唯无作，作则万窍怒呺，而独不闻之翏翏乎？山林之畏佳，大木百围之窍穴，似鼻，似口，似耳，似枅，似圈，似臼，似洼者，似污者。激者，謞者，叱者，吸者，叫者，譹者，宎者，咬者，前者唱于而随者唱喁。泠风则小和，飘风则大和，厉风济则众窍为虚。而独不见之调调之刁刁[7]乎？”子游曰：“地籁则众窍是已，人籁则比[8]竹是已。敢问天籁。”子綦曰：“夫吹万不同，而使其自已也，咸其自取，怒者其谁邪？”

【注释】

①南郭子綦（qí）：楚人，居住南郭，故名南郭子綦。②荅（tà）焉：亦作“嗒焉”，离形去智的样子。③颜成子游：子綦的学生，姓颜名偃，子游为字，死后谥“成”，故名颜成子游。④“今之隐机者”与“昔之隐机者”实指一人，即南郭子綦。⑤而：你，人称代词。⑥籁（lài）：排箫，古代的一种管状乐器。⑦调调、刁刁：指风吹树木晃动摇曳的样子。⑧比：合并。

【译文】

南郭子綦坐在几案旁边，仰天缓慢地呼吸，那样子真好像灵魂脱离了身体。他的学生颜成子游陪在一旁问：“这是怎么回事？身体可以像干枯的树木一样，灵魂也可以像熄灭的灰烬一样吗？您今天坐在这儿，和以前坐在这儿的神情大不一样啊。”子綦说：“这个问题问得不错。你知道吗，今天我忘记了自己的存在。你只听过人籁但没听过地籁；就算你听过地籁也没有听过天籁啊。”子游说：“请您讲述它们各自的含义。”子綦说：“大地的呼吸叫作风，风不发作没什么，一旦发作，大地上会有数不清的空穴跟着狂吼起来。你没有听过那样呼啸的大风吗？山巅陡峭的地方，大树上的空穴，有的像鼻子，有的像嘴巴，有的像耳朵，有的像圆木上的方孔，有的像圆形的栅栏，有的像舂米的石臼，有的像深潭，有的像小池。它们的声音，如湍急流水，如离弦之箭，如高声呵责，如细微呼吸，如放声呼喊，如号啕大哭，如山谷回音，如小鸟啁啾，前后呼应。微风中有轻轻的应和，长风里有猛烈的回响。暴风戛然而止，大地就万籁俱静了。你难道没见过万物随风招摇的情景吗？”子游说：“地籁就是大地孔穴发出的声音，人籁是从竹管乐器中吹出的乐声。我再向您求教，天籁是什么声音呢？”子綦说：“虽然天籁和前两者不同，但控制声音的都是它本身，不然还会是谁呢？”

【原文】

大知闲闲，小知间间①。大言炎炎，小言詹詹。其寐也魂交，其觉也形开。与接为构②，日以心斗：缦者，窖者，密者。小恐惴惴，大恐缦缦。其发若机栝③，其司④是非之谓也；其留⑤如诅盟，其守胜之谓也；其杀若秋冬，以言其日消也；其溺之所为之，不可使复之也；其厌⑥也如缄，以言其老洫也；近死之心，莫使复阳也。喜怒哀乐，虑叹变慹⑦，姚⑧佚启态。乐出虚，蒸成菌。日夜相代乎前，而莫知其所萌。已乎，已乎！旦暮得此，其所由以生乎！

非彼无我，非我无所取。是亦近矣，而不知其所为使。若有真宰⑨，而特不得其眹，可行已信，而不见其形，有情而无形。

百骸、九窍、六藏，赅而存焉，吾谁与为亲？汝皆说之乎？其有私焉？如是皆有为臣妾乎？其臣妾不足以相治乎？其递相为君臣乎？其有真君存焉？如求得其情与不得，无益损乎其真。一受其成形，不亡以待尽。与物相刃相靡，其行尽如驰而莫之能止，不亦悲乎！终身役役而不见其成功，苶然疲役而不知其所归，可不哀邪！人谓之不死，奚益！其形化，其心与之然，可不谓大哀乎？人之生也，固若是芒乎？其我独芒，而人亦有不芒者乎？

夫随其成心而师之，谁独且无师乎？奚必知代而心自取者有之？愚者与有焉。未成乎心而有是非，是今日适越而昔至也。是以无有为有。无有为有，虽有神禹且不能知，吾独且奈何哉！

【注释】

①间（jiàn）间：明察细别的样子。②拘：通“构”，交结，交接。③机：弩机，弩上的发射部位。栝（kuò）：箭末扣弦的部位。④司：主。⑤留：守住，指留存内心。⑥厌（yā）：通作“压”，闭塞的意思。⑦慹（zhé）：恐惧。⑧姚：轻浮，躁动。⑨真宰：天然的主宰，同下文的“真君”，也就是“道”。

【译文】

睿智的人豁达，只会小聪明的人则喜欢斤斤计较。大道之言就像火焰一样盛大，小言则论辩不休。人在睡觉时，神魂交织，梦醒后又目开意悟了。人与外界相联系，便总会钩心斗角：有的话和缓，有的要高深，有的要谨慎。有一点儿担忧便惴惴不安，受到一些大的惊吓便像丢了魂一样。他们的言辞就像离弦的箭一样迅速而锋利，是是非非都是由此形成的。他们守口如瓶，就像发过誓一样，不过是在等待制胜的时机。他们的衰颓像隆冬的枯草，那说明他们逐日消沉；他们沉浸在自己所做的每件事情，以至于他们不能再恢复如初；他们的心灵就像被锁住一样闭塞，这说明他们衰朽了，不再能恢复生机。他们喜悦、愤怒、哀伤、快乐，他们忧虑、叹息、往复、恐惧，他们心浮气躁、骄奢淫逸、纵情声色、矫揉造作。音乐似乎是从竹管中发出的，又像是菌类从大地上成长起来。种种情状相互转换，却不明白是如何发生的。罢了，罢了，万一懂得了其中的道理，不就明白发生的原因了吗？

没有与我相对的一面，也就没有我本身，没有我本身，也就不会有与我相对的一面。这种观点贴近了事物的本质，却不懂是什么促使了这一切的形成。好像有个“真宰”，但找不到它的头绪。能用实践得到检验，但还是看不到它的样子，它的确存在，但是没有具体形态来承载它。

那么多关节，眼耳口鼻等一共九窍，心肺肝脾等一共六脏，都齐全地长在我身上，我和哪一个最亲密呢？你喜欢哪一个呢？还是都一样喜欢？每一部分都只是你的附属吗？难道这些附属就不能相互关联了吗？还是它们轮流做主导？难道它们中间真的有“真君”吗？

不管能不能探索出究竟，都对它不损不利。一旦融合了天地之气而化成形体，就不能抛掉这个形体坐以待亡。人们和外界相互依存，他们一动起来像马一样迅捷，没有什么能阻止他们停下，这难道不可悲吗？他们一生都被自己看不到的成功所奴役，一辈子都为疲惫所困，却看不到自己的归宿，这难道不可悲吗？他们总说，这样的人不会死亡，但这又有何益？人的形体日渐衰朽，灵魂也一起衰朽，这难道不是最大的悲哀吗？人活一世，本来就这么无知吗？难道只有我一人这么无知吗？世上有人不是无知的吗？

追随别人而养成了偏执，还以之为师，那谁没有老师呢？为何一定要明白万物的更替，还要从自己的世界中找出合适的人当老师呢？无知的人也一样有自己的老师。思想上没有形成成见，就有是非之分，就像今天说去越国但是昨天就到了一样可笑。这即是把无当作有。以无为有，连明智的大禹都不明白其中的道理，我又知道什么呢？

【原文】

夫言非吹[①]也。言者有言，其所言者特未定也。果有言邪？其未尝有言邪？其以为异于鷇音[②]，亦有辩乎？其无辩乎？

道恶乎隐而有真伪？言恶乎隐而有是非？道恶乎往而不存？言恶乎存而不可？道隐于小成，言隐于荣华。故有儒墨之是非，以是其所非而非其所是。欲是其所非而非其所是，则莫若以明。

物无非彼，物无非是。自彼则不见，自知[③]则知之。故曰：彼出于是，是亦因彼。彼是，方生之说也。虽然，方生方死，方死方生。方可方不可，方不可方可。因是因非，因非因是。是以圣人不由[④]而照之于天，亦因是也。是亦彼也，彼亦是也。彼亦一是非，此亦一是非。果且有彼是乎哉？果且无彼是乎哉？彼是莫得其偶，谓之道枢[⑤]。枢始得其环中，以应无穷。是亦一无穷，非亦一无穷也。故曰：莫若以明。

以指[6]喻指之非指，不若以非指喻指之非指也。以马喻马之非马[7]，不若以非马喻马之非马也。天地一指也，万物一马也。

可乎可，不可乎不可。道行之而成，物谓之而然。恶乎然？然于然。恶乎不然？不然于不然。物固有所然，物固有所可；无物不然，无物不可。故为是举莛与楹[8]、厉[9]与西施，恢恑憰怪[10]，道通为一。其分也，成也；其成也，毁也。凡物无成与毁，复通为一。唯达者知通为一，为是不用[11]而寓诸庸。庸也者，用也；用也者，通也；通也者，得也；适得而几矣。因是已。已而不知其然，谓之道。劳神明为一而不知其同也，谓之朝三。何谓朝三？狙公赋芧[12]，曰："朝三而暮四。"众狙皆怒。曰："然则朝四而暮三。"众狙皆悦。名实未亏而喜怒为用，亦因是也。是以圣人和之以是非而休乎天钧，是之谓两行。

古之人，其知有所至矣。恶乎至？有以为未始有物者，至矣，尽矣，不可以加矣。其次以为有物矣，而未始有封也。其次以为有封焉，而未始有是非也。是非之彰也，道之所以亏也。道之所以亏，爱之所以成。果且有成与亏乎哉？果且无成与亏乎哉？有成与亏，故昭氏之鼓琴也。无成与亏，故昭氏之不鼓琴也。昭文之鼓琴也，师旷之枝策也，惠子之据梧也，三子之知几乎，皆其盛者也，故载之末年。唯其好之也，以异于彼；其好之也，欲以明之。彼非所明而明之，故以坚白之昧终。而其子又以文之纶终，终身无成。若是而可谓成乎？虽我亦成也。若是而不可谓成乎？物与我无成也。是故滑疑之耀，圣人之所图也。为是不用而寓诸庸，此之谓以明。

【注释】

①吹：风吹。②鷇音：幼鸟将破壳时发出的叫声。③自知：自是。④由：自，经过。⑤枢：枢纽，关键。⑥指：战国名家学派公孙龙子的指物论。⑦马：当时论辩的主要论题。⑧莛（tíng）：草茎。楹（yíng）：房柱。⑨厉：通作"疠"，指皮肤溃烂，这里用以表示丑陋的人。⑩恢恑（guǐ）憰（jué）怪：指形形色色的社会

现象。恢，诙谐。恑，变诈。憰，谲诈。怪，怪异。⑪为是不用：为了这个缘故不用固执己见。⑫赋芧（xù）：分发橡子。

【译文】

辩论和吹风不一样。能言善辩的人总是出口成章，但他们的话也并非有定论。他们真的说了些什么吗？还是没有说什么呢？他们都觉得自己的话并不像小鸟的啼鸣。真的吗？还是毫无差异呢？

大道如何隐晦不明却有真假之分呢？言辞又是如何隐晦不明而有是非之辩呢？大道为何出现又不见了？言辞为何说出又不被承认了？小小的成绩就把大道蒙蔽了，华丽的词语就把言论掩盖了。于是产生了儒家和墨家对于是非的争论，支持对方否认的东西，否认对方支持的东西。想要这样，不如分析事物的本质来加以鉴定。

所有事情都存在于与它自身相对的那一面，还有与自身相对的这一面。从那一面看不到这一面，但从这一面就能对事物有所把握。因此，事物的那一面来自这一面，这一面也源于那一面，二者相互依存。既然如此，一诞生就是死亡，一死亡就是重生。刚肯定就会否定，刚否定又是肯定。依照正确的就是遵循了错误的，依照错误的就是遵循了正确的。所以圣人从不划分是非对错，他们只看本质，即遵从事物本身的规律。事物的此面即为彼面，彼面即是此面。每一面都同样存在是非对错。但事物真的有这两面吗？或者真的没有两面的区分吗？这两方面都没有对立面，这便是大道的关键。把握好这个关键就抓住了事物的本质，就能顺应事物变化的规律了。“是”与“非”都是没有止境的，所以，不如依靠分析事物的本质来鉴定现实。

用事物包含的元素来证明这个元素不是事物本身，不如用事物不包含的元素来证明元素不是事物本身。说白马不是马，不如说马不是白马。世界上不管有多少元素，只要是作为元素，它们就是一样的。事物不管有多少具体的物象，作为具体物象，它们的实质也是一样的。

可以认可吗？必然是有值得认可的东西才去认可。可以不认可吗？也必然是有不值得认可的东西才不去认可。路是走出来的，事物的名字是人叫出来的。什么才是正确的呢？正确在于事物本身的正确性。什么又是不正确的呢？不正确在于事物本身的非正确性。怎么才能认可？能认可是因为它本身就值得认可。怎么才能不认可？不认可是因为它本身就不值得认可。事物本身就有正确的、应该被认可的一面，没有什么是完全错误的。所以，就举些例子，像小草和廊柱、丑女和西施，用事物千奇百怪的形态来证明这点，用“道”的方法来看，它们都是相通的。旧事物的消解促进了新事物的形成，新事物的诞生就是旧事物的毁灭。万物并没有生与灭的区别，这是相通性。只有明达的圣人才能明白相通性的道理，不去执意给事物做单方面的阐释，而是把自己的观念融入日常事情中去。那些庸常的道理就是无用而有用的。认识到事物的无用就是有用，这就很明达了。明达的圣人才是真正懂得事物本质的人。恰当把握事物本质就离“大道”不远了。遵循事物本来的相通性，还不能探明它的究竟，这便是“道”。费尽心思才知道事物的相通性，却不知道事物原本就是统一的，就像“朝三”。“朝三”是什么呢？养猴人对猴子说：“我早上给你们吃三个橡子，晚上给你们吃四个橡子。”猴子听了特别生气。于是，养猴人又说：“那早上四个，晚上三个吧。”结果猴子们都很高兴。事情并没有损益，情绪却发生变化了，也就是源于这个道理。所以，圣人不区分是非，优哉游哉地生活在自己平衡的世界里，这便是外界与我各自发展，互不侵扰。

古时，人们的心智就发展到了最高的境界。怎么才能到达最高境界？当时有人认为，天地之间最初是什么都没有的，这是最伟大的见解，完美到无以复加的境界。其次，有人认为，天地间是有事物存在的，但它们本来没有任何划分。再次，有人认为万物虽然存在各种差异，但是没有是非之别。有了是与非的分别，对天地万物的理解就有了偏差，在理解上产生偏差，偏见就形成了。真的有完整与缺憾吗？或者真的没有完整和缺憾吗？因为事物有完整和缺憾，昭文才得以弹奏乐曲，否则就不能再演奏。昭文擅长弹琴，师旷擅长音律，惠施喜欢在梧桐树下演说，这三个人可以说是登峰造极了。他们都有名望，因此他们的故事也被记载下来。他们热爱艺术和学问，所以和别人不一样。因为热爱，他们总希望表现出来。他们还把那些不该说的东西讲给世人，所以最终以石头的颜色和质地都独立于石头本身的困惑而告终。昭文的儿子继承了父亲的技艺，一生没有什么成就。这能算有成就吗？那么，即使是我，虽然一事无成，也可以说是有成就。这样不能算有成就吗？那么人与我都没有成功。所以，那些迷惑人心的言辞，都是圣人哲人所鄙视的。所以，所有无用都包含于有用之中，这便是用事物的本质加以分析而得来的真实。

【原文】

今且有言于此，不知其与是类乎？其与是不类乎？类与不类，相与为类，则与彼无以异矣。虽然，请尝言之。有始也者，有未始有始也者，有未始有夫未始有始也者。有有也者，有无也者，有未始有无也者，有未始有夫未始有无也者。俄而有无矣，而未知有无之果孰有孰无也。今我则已有谓矣，而未知吾所谓之其果有谓乎？其果无谓乎？天下莫大于秋豪之末，而大山为小；莫寿于殇子，而彭祖为夭。天地与我并生，而万物与我为一。既已为一矣，且得有言乎？既已谓之一矣，且得无言乎？一与言为二，二与一为三。自此以往，巧历[①]不能得，而况其凡乎！故自无适有以至于三，而况自有适有乎！无适焉，因是已。

夫道未始有封，言未始有常，为是而有畛也。请言其畛：有左有右，有伦[②]有义，有分有辩，有竞有争，此之谓八德。六合之外，圣人存而不论。六合之内，圣人论而不议。春秋[③]经世先王之志，圣人议而不辩。故分也者，有不分也；辩也者，有不辩也。曰：何也？圣人怀[④]之，众人辩之以相示也。故曰：辩也者，有不见也。

夫大道不称，大辩不言，大仁不仁，不廉不嗛，不勇不忮[⑤]。道昭而不道，言辩而不及，仁常而不成，廉清而不信，勇忮而不成。五者无弃而几向方矣。故知止其所不知，至矣。孰知不言之辩、不道之道？若有能知，此之谓天府。注焉而不满，酌焉而不竭，而不知其所由来，此之谓葆光。

【注释】

①巧历：善于计算的人。②伦：次序。③春秋：这里泛指古代历史，并非指战国以前的那一段历史年代。④怀：指不去分辨物我和是非。⑤忮（zhì）：伤害。

【译文】

如今暂且说几句话，不知道这些话和别人的想法是不是一样呢？一样也好，不一样也好，既然都是言谈，无论内容如何，它们都算是同类了。即使这样，我还是把我的话说一下吧。世间万物都有个起始，也有未曾开始的起始，也有未曾开始的未曾开始的起始。宇宙最初有很多“有”，也有个“无”，还有个从未有过的“无”，以及从未有过的从未有过的“无”。忽然生出了这些“有”“无”，却不知道哪个才是真正的有，哪个才是真正的无。现在我把这些话都说了，但也不知道我说的话真的是我说过的，还是我没有说过的。天下没有比秋毫的末梢更大的东西了，而泰山却是小的；世界上没有比夭折的婴儿更长寿的人，而彭祖却是短命的。天地与我同在，万物与我合而为一。既然如此，还有什么好议论的呢？既然如此，还能不议论吗？客观存在的一加上我的议论就变成了二，二再加一就变成三。以此类推，再精确的计算也算不出最后的得数，何况我们都是凡人。于是，从无到有，能推到三，更何况从有到有的演绎呢？何况也不必如此推算下去，还是依照事物的本质吧。

大道从来没有什么界限，论说也从来没有什么限定，只因各人都以为自己的观点才是正确的，所以才有这样那样的区分。请允许我说说这些区分：或左或右，有次序有级别，有解有辩，有竞有争，这就是那八类。宇宙以外的事情，圣人不去研究。宇宙之内的事情，圣人研究但不随便评说。对于历史上记载的那些圣明君主，圣人有所评价但不与人争辩什么。于是便知，有区分就是因为不能区分，有争辩是因为不能争辩。有人问：这是怎么回事？圣人将万物包罗于胸中，但普通人则喜欢争论和夸耀，因此，但凡有争论，就是因为那人的见识有欠缺。

至高无上的真理是不需要被赞扬的，最厉害的辩论是不需要讲出来的，最善良的人不需要向别人展示善良，最廉洁的人也不需要向别人展示廉洁，最勇敢的人是从来不伤害别人的。如果大道完全暴露在外就不是大道，炫耀放肆的辩论总是有说不全的地方，善良的人如果总是故意表现也就不善良了，廉洁到极点就显得不真实，勇敢到四处害人也就不勇敢了。这五个例子就像是可以画圆却画成方一样。所以，知道放弃自己不擅长的领域，就是最明智的。谁能真正领会不用说的辩论、不用讲的道理呢？如果有人能领会，那就是所谓的自然而然的府库，不管投入多少它都不会满，不管取出多少它都不会空，并且也不知道这些东西是从哪儿来的，这就是藏而不露的光芒。

【原文】

故昔者尧问于舜曰："我欲伐宗、脍、胥敖[①]，南面[②]而不释然，其故何也？"舜曰："夫三子者，犹存乎蓬艾之间。若不释然，何哉？昔者十日并出[③]，万物皆照，而况德之进乎日者乎！"

啮缺问乎王倪曰："子知物之所同是乎？"曰："吾恶乎知之！""子知子之所不知邪？"曰："吾恶乎知之！""然则物无知邪？"曰："吾恶乎知之！虽然，尝试言之。庸讵知吾所谓知之非不知邪？庸讵知吾所谓不知之非知邪？且吾尝试问乎女：民湿寝则腰疾偏死，鳅[④]然乎哉？木处则惴慄恂惧，猨猴然乎哉？三者孰知正处？民食刍豢[⑤]，麋[⑥]鹿食荐，蝍蛆[⑦]甘带，鸱[⑧]鸦耆鼠，四者孰知正味？猨猵狙[⑨]以为雌，麋与鹿交，鳅与鱼游。毛嫱丽姬[⑩]，人之所美也，鱼见之深入，鸟见之高飞，麋鹿见之决骤。四者孰知天下之正色哉？自我观之，仁义之端，是非之涂，樊然淆乱，吾恶能知其辩！"

啮缺曰："子不知利害，则至人固不知利害乎？"王倪曰："至人神矣！大泽焚而不能热，河汉冱而不能寒，疾雷破山、飘风振海而不能惊。若然者，乘云气，骑日月，而游乎四海之外。死生无变于己，而况利害之端乎！"

【注释】

①宗、脍、胥敖：三个小国的国名。②南面：君主临朝。③十日并出：指古代寓言中十个太阳一并出来的故事，借此比喻阳光普照到每一个地方。④鳝（qiū）：即泥鳅。⑤刍（chú）豢（huàn）：家畜。刍，吃草的动物，如牛、羊。豢，吃谷物的动物，如猪、狗。⑥麋：一种食草的珍贵兽类，与鹿同科。⑦蝍（jí）蛆（jū）：蜈蚣。⑧鸱（chī）：猫头鹰。⑨猵（biān）狙（jū）：一种类似猿猴的动物。⑩毛嫱丽姬：古代两位著名的美人。

【译文】

曾经，尧问舜："我想征伐宗、脍、胥敖这三个国家，每回上朝都心神不宁的，为什么呢？"舜说："那几个小国的国君，像长在蓬蒿里一样。你总是耿耿于怀，为什么会这样呢？以前，十个太阳一起出现，大地被阳光普照，更何况你崇高的品德早就高过了太阳的光芒！"

啮缺问王倪说："你知不知道万物之间总有相通之处？"王倪说："我哪里知道！"啮缺又问："你知道你不懂得什么吗？"王倪说："我哪里知道！"啮缺又问："那所有事物就都不能了解了吗？"王倪回答："我哪里会知道！不过，虽然如此，我还是试着解答你的问题吧。你如何明白我说的知道就不是不知道呢？你又如何明白我所说的不知道就不是知道呢？我要先问问你：人在潮湿的地方睡觉腰部就会得病，甚至造成半身不遂，泥鳅也是一样吗？人爬上高耸的大树就会心惊肉跳、惶惶不安，猿猴也是一样吗？人、泥鳅、猿猴，这三种生物到底哪个最明白居处的方式呢？再说，人吃牲畜的肉，麋鹿吃草，蜈蚣吃小蛇，猫头鹰和乌鸦喜欢吃老鼠，人、麋鹿、蜈蚣、猫头鹰和乌鸦这五类动物到底哪个才懂得什么是真正的佳肴呢？猴子与猵狙交配，麋与鹿交配，泥鳅则和鱼交配。毛嫱和丽姬，是大家公认的美人了，但是鱼儿看见她们就潜入深水，鸟儿看到她们就飞向高空，麋鹿看见她们就撒开四蹄迅速地逃窜。人、鱼、鸟和麋鹿四者到底谁才懂得什么是世间真正的美丽呢？在我来看，仁与义的定义，是与非的界限，都纷繁复杂，我又如何能够把它们分清楚呢！”

啮缺说：“你不懂得利与害，难道至人也不懂得利与害吗？”王倪说：“达到物我两忘境界的人真是高深莫测啊！山林焚烧都不能让他感到燥热，大江大河冻结却不能让他感到寒冷，急速的雷电劈开山岩、海上涌起狂风骇浪也不能让他感到震惊。这样的至人，能够驾驭风云，乘上日月，遨游四海，死和生对他都没有意义，更何况利与害这种不足挂齿的东西呢！”

【原文】

瞿鹊子问乎长梧子[①]曰：“吾闻诸夫子[②]，圣人不从事于务，不就利；不违害，不喜求，不缘道；无谓有谓，有谓无谓，而游乎尘垢之外。夫子以为孟浪之言，而我以为妙道之行也。吾子以为奚若？”

长梧子曰：“是黄帝之所听荧也，而丘也何足以知之！且女亦大早计，见卵而求时夜，见弹而求鸮[③]炙。予尝为女妄言之，女以妄听之。奚旁日月，挟宇宙，为其吻合，置其滑涽[④]，以隶[⑤]相尊？众人役役[⑥]，圣人愚芚[⑦]，参[⑧]万岁而一成纯。万物尽然，而以是相蕴。

“予恶乎知说生之非惑邪！予恶乎知恶死之非弱丧[⑨]而不知归者邪！丽[⑩]之姬，艾封人之子也。晋国之始得之也，涕泣沾襟，及其至于王所，与王同筐床，食刍豢，而后悔其泣也。予恶乎知夫死者不悔其始之蕲生乎！梦饮酒者，旦而哭泣。梦哭泣者，旦而田猎。方其梦也，不知其梦也。梦之中又占其梦焉，觉而后知其梦也。且有大觉而后知此其大梦也，而愚者自以为觉，窃窃然知之。君乎，牧[⑪]乎，固哉！丘也与女，皆梦也；予谓女梦，亦梦也。是其言也，其名为吊诡[⑫]。万世之后而一遇大圣，知其解者，是旦暮遇之也！

“既使我与若[13]辩矣，若胜我，我不若胜，若果是也，我果非也邪？我胜若，若不吾胜，我果是也，而果非也邪？其或是也，其或非也邪？其俱是也，其俱非也邪？我与若不能相知也，则人固受其黮[14]暗，吾谁使正之？使同乎若者正之？既与若同矣，恶能正之！使同乎我者正之？既同乎我矣，恶能正之！使异乎我与若者正之？既异乎我与若矣，恶能正之！使同乎我与若者正之？既同乎我与若矣，恶能正之！然则我与若与人，俱不能相知也，而待彼也邪？化声之相待，若其不相待，和之以天倪，因之以曼衍，所以穷年也。”

“何谓和之以天倪？”

曰：“是不是，然不然。是若果是也，则是之异乎不是也亦无辩；然若果然也，则然之异乎不然也亦无辩。化声之相待，若其不相待，和之以天倪，因之以曼衍，所以穷年也。忘年忘义，振于无竟，故寓诸无竟。”

【注释】

①瞿鹊子、长梧子：杜撰的人名。②夫子：孔子，名丘，字仲尼，儒家创始人。③鸮（xiāo）：一种肉质鲜美的鸟。④滑（gǔ）涽（hūn）：淆乱昏暗。⑤隶：奴仆。⑥役役：驰骛于是非之境。⑦芚（chūn）：浑然无所觉察和识别的样子。⑧参：糅合。⑨弱丧：从小流浪异乡。⑩丽：丽戎，春秋时的小国。⑪牧：牧夫，指所谓卑贱的人。⑫吊诡：怪异。吊，至。⑬若：你。⑭黮（dǎn）：阴暗。

【译文】

瞿鹊子问长梧子说：“我听孔子说，圣人从来不做琐碎的事，不追名逐利，也不躲避灾害，也不贪婪难填，也不循规蹈矩；什么都不说却好像说过些什么，说了些话又好像什么话也没说，所以心神遨游在世俗之外。孔子认为这都是些无稽之谈，而我则认为这实在是绝妙的实践。先生你怎么想呢？”

长梧子说：“黄帝也会对这些话感到疑惑的，而孔子怎么能懂呢！何况你也想得太早，就像看到鸡蛋就马上想起报晓的公鸡，见了弹子便要立即得到烤熟的鸮鸟。我姑且给你随便说说，你也就随便听听。怎么能不依靠日月，胸怀天地，与万物合为一体，把所有纷争都丢掉不管，把卑微和高贵看作齐一呢？人们总是一心沉迷于争辩是与非，圣人却似乎非常愚昧不能察觉什么，古往今来多少无常变幻相互融合，自身却浑然一体，不被复杂纷乱所困扰。万事万物都是如此，而且正因此，相互沉淀在古朴而又纯粹的状态之中。

“我哪里知道贪婪地活在人间不是一种困惑呢？我又哪里知道憎恨死亡就像少年时流浪异乡而老年还不知回返呢？丽姬是艾地封印者之女，在晋国讨伐丽戎时她被俘获了，她那时哭得泪湿衣衫。当她进了晋国的王宫，睡在晋侯的床上而被宠为夫人，吃到了山珍海味时，就后悔当初不用那么悲伤落泪了。我又哪里知道那些去世的人没有后悔当初的求生呢？在梦中畅饮寻欢的人，天亮后醒来可能会悲伤地痛哭。在梦里悲伤痛哭的人，天亮后醒来又可能去快乐地打猎。在梦中的时候，他没法知道自己是在做梦。在梦中还去卜问梦的吉凶，醒来后才知道是在做梦。一旦有大觉醒的人才明白人的一生也是一个大梦，而无知的人则自以为清醒，仿佛什么都明白了似的。君尊牧卑，这样的价值观真是鄙陋肤浅呀！孔子和你一样都在做梦，说你们在梦中，其实我也在梦中。以上这番话，可以说是奇谈怪论了。万代之后，如果遇上一位大圣人，能悟出上面这番道理，恐怕也算是偶然的机缘了！

“假如在我与你的辩论中，你赢了我，我没赢你，那么就能说你对我错吗？我赢了你，你没赢我，我就真的对，而你真的错吗？难道我们有一人是对的，有一人是错的吗？难道我们两个都是对的，或都是错的吗？我们都没法了解，但世人原来也都经受着无知，谁又能给出正确的判定呢？请与你观点一致的人来判定吗？既然看法一致，如何能给出公正的评判呢！请与我观点一致的人来判定吗？既然和我站在一条路上，又如何能做出公正的评判呢！让持第三种观点的人来判定吗？既然看法和我俩都不同，那更不能做出公正的评判了！让和我俩观点一致的人来判定吗？既然看法都一致，又如何能给出公正的评判呢！既然这样，那么所有人都无从理解这一点，还等待别人做什么呢？辩论时，是是非非相互对立，如果使它们不相互对立，就用自然的平衡法去调和它，用无穷的变化来顺应它，还是以这样的方式了却平生吧。”

“自然的平衡是什么呢？”

“对的就像错的一样，正确的就像不正确的一样。对的如果就是对的，那么对的就异于不对的，这就不必再争论；正确的如果真就是正确的，那么正确的就异于不正确的，这也不必去争论。是是非非、变来变去的声音是相对立而存在的，若想使它们不对立，就要用自然去调和，任其自由自在地发展，这样就可以尽享天年。忘却死生，忘记是非，就能到达没有止境的境界，所以圣人总喜欢遨游在自己无穷无尽的精神世界中。”

【原文】

罔两①问景曰：“曩②子行，今子止；曩子坐，今子起。何其无特操与？”景曰：“吾有待而然者邪？吾所待又有待而然者邪？吾待蛇蚹③蜩翼邪？恶识所以然？恶识所以不然？”

昔者庄周梦为胡蝶，栩栩然④胡蝶也，自喻适志与！不知周也。俄然觉，则蘧蘧然⑤周也。不知周之梦为胡蝶与，胡蝶之梦为周与？周与胡蝶，则必有分矣。此之谓物化⑥。

【注释】

①罔两：影子之外的微阴。②曩（nǎng）：以往，从前。③蚹（fù）：蛇肚腹下的横鳞。④栩栩然：欣然自得的样子。⑤蘧（qú）蘧然：惊惶的样子。⑥物化：物我界限消除的境界。

【译文】

微阴问影子说：“你先是走起来，后又停下来；你先前坐下去，如今你又站起来。你为何这么没有独立的持守呢？”影子回答说：“我是有什么凭靠的吗？我所凭靠的东西又有什么凭靠吗？难道我所凭靠的东西如同蛇的蚹鳞和鸣蝉的翅膀一样微小吗？我哪里明白是什么原因导致了现在这样？我又哪里知道是什么原因让事情不这样呢？”

从前，庄周梦到自己变成了蝴蝶，翩然飞舞着，感到那么自在喜悦，忘了自己原来是庄周。蓦然醒来，惶惑不定之时，才知道原来自己是庄周。不知是庄周在梦中化作了蝴蝶，还是蝴蝶梦见它自己化作了庄周？庄周与蝴蝶一定是有区别的。这种现象就是物我合一、物我相互转化。

养生主

【题解】

本篇讨论的是养生之道。庄子认为，养生之道主要是能够顺应自然，忘掉所有的知觉和感情，不被外界的事物所阻碍。

本篇总体分为三个部分，第一部分写到“可以尽年”，全篇的总纲尽在于此，提出了养生最重要的便是能够做到“缘督以为经”，就是要遵循事物中虚之道，顺应自然的变化发展。第二部分写到“得养生焉”，用厨工分解牛的身体来比喻人的养生，认为处世、生活都要“因其固然”“依乎天理”，而且要取其中虚“有间”，才能够“游刃有余”，避开是非以及矛盾的阻碍。剩下的便是第三部分，更深一层地说明听凭天命、顺应自然、“安时而处顺”的生活态度。

庄子讲述的思想中心，一是无所依凭自由自在，一是人要顺其自然。本篇表面上字字句句都在谈论养生，实际上却是在表现作者的哲学思想和生活情趣。

【原文】

吾生也有涯①，而知②也无涯。以有涯随③无涯，殆④已。已⑤而为知者，殆而已矣！为善无近⑥名，为恶无近刑。缘⑦督以为经，可以保身，可以全生⑧，可以养亲，可以尽年。

【注释】

①涯：边际。②知（zhì）：才智。③随：索求。④殆：指疲惫不堪，神伤体乏。⑤已：如此。⑥近：接近。⑦缘：顺着，遵循。⑧生：通作“性”，本性。

【译文】

人的生命有限，知识却没有止境。用有限的生命追求无限的知识，必然会劳形伤神。既然已经劳形伤神，却还要不停地追索，可就很危险了。去做好事但不图美名，去做坏事但不至于遭受刑罚的耻辱。顺其自然，并且把它当作常理，就能够保护自己，也就能保全自己的天性，不给父母留下后患，自己也就能享尽天年了。

【原文】

庖[①]丁为文惠君解牛，手之所触，肩之所倚，足之所履，膝之所踦，砉然[②]响然，奏刀騞然[③]，莫不中音，合于《桑林》之舞，乃中《经首》之会。

文惠君曰：“嘻，善哉！技盖至此乎？”庖丁释刀对曰：“臣之所好者道也，进乎技矣。始臣之解牛之时，所见无非全牛者。三年之后，未尝见全牛也。方今之时，臣以神遇而不以目视，官知止而神欲行。依乎天理，批大郤，导大窾[④]，因其固然。技[⑤]经肯綮之未尝，而况大軱[⑥]乎！良庖岁更刀，割也；族庖月更刀，折也。今臣之刀十九年矣，所解数千牛矣，而刀刃若新发于硎。彼节者有间，而刀刃者无厚。以无厚入有间，恢恢乎其于游刃必有余地矣，是以十九年而刀刃若新发于硎。虽然，每至于族，吾见其难为，怵然为戒，视为止，行为迟，动刀甚微。謋然[⑦]已解，如土委地。提刀而立，为之四顾，为之踌躇满志，善刀而藏之。文惠君曰：“善哉！吾闻庖丁之言，得养生焉。”

【注释】

①庖（páo）：厨师。②砉（huā）然：皮肉分离的声音。③騞（huò）然：以刀快速割牛的声音。④大窾（kuǎn）：骨节间较大的空隙。⑤技（zhī）：通作“枝”，指支脉。⑥軱（gū）：大骨。⑦謋（huò）然：散开的样子。

【译文】

庖丁为文惠君分解牛，他的手碰到的地方，肩抵着的地方，脚踩着的地方，膝盖触到的地方，都发出砉砉的声音，以及迅速插进刀子的唰唰声，像美妙的音乐一样，既能合乎《桑林》舞曲，又能配得出《经首》的乐律。

文惠君说："呀，妙极了！你的手艺怎么能这么高呢？"厨师把刀放下，回答说："我喜欢研究事物的规律，这和一般的技艺相比又提升了一层境界。我最初分解牛的时候，总是看见一头完整的牛。几年以后，就不再看到完整的牛了。如今，我只需用心去体会而不用眼睛去看，目光停止了，但心神还在运转。按照牛身体的结构，劈向骨头中间的大缝隙，把刀引向那些骨节间的空隙中，按照牛的身体的自然构造去肢解。我从来没碰到经络相交的地方和骨肉相连的地方，何况那些粗壮的骨头呢！好厨师每年换一把刀，因为他们的刀用来割肉；一般的厨师每个月换一把刀，因为他们的刀用来砍骨头。现在，我的这把刀已经十九年没换过了，它宰杀过上千头牛，但是刀刃仍然像刚打磨过的一样。牛的骨节及每个组合部位都是有缝隙的，刀的厚度又可以忽略不计，它插到其中，来回运转是非常有余地的。因此，我的刀用了十九年还像新的一样。即使这样，每回遇到筋腱、骨节交错的位置，不容易下刀时，我都谨慎小心，神情专注，动作缓慢细微。当一头牛全部被肢解开来，就像一摊泥散落在地上。我就握着刀站在那儿，看看周围，心满意足起来，然后才擦擦刀，把它收好。"文惠君说："真是妙啊，听完您这番话，我懂得养生的道理了。"

【原文】

公文轩[①]见右师而惊曰："是何人也？恶乎介[②]也？天与？其人与？"曰："天也，非人也。天之生是[③]使独也，人之貌有与[④]也。以是知其天也，非人也。"

泽雉[⑤]十步一啄，百步一饮，不蕲[⑥]畜乎樊中。神虽王[⑦]，不善也。

老聃[8]死，秦失[9]吊之，三号而出。弟子曰："非夫子之友邪？"曰："然"。"然则吊焉若此，可乎？"曰："然。始也吾以为其人也，而今非也。向吾入而吊焉，有老者哭之，如哭其子；少者哭之，如哭其母。彼其所以会之，必有不蕲言而言，不蕲哭而哭者。是遁天倍情，忘其所受，古者谓之遁天之刑[10]。适[11]来，夫子[12]时也；适去，夫子顺也。安时而处顺，哀乐不能入也，古者谓是帝之县解。"

指穷于为薪，火传也，不知其尽也。

【注释】

①公文轩：相传为宋国人，复姓公文，名轩。②介：独，只有一只脚。③是：此。④与：赋予。⑤雉（zhì）：雉鸟，俗称野鸡。⑥蕲（qí）：祈求，希望。⑦王（wàng）：通作"旺"，旺盛。⑧老聃（dān）：相传即老子，楚人，姓李名耳。⑨秦失（yì）：又写作"秦佚"，虚拟人物。⑩刑：规范，道理。⑪适：正当。⑫夫子：指老聃。

【译文】

公文轩看到右师很吃惊，问："这是何人？为什么只有一只脚？是天生的还是后天的呢？"右师说："是天生的，不是后天的。上天给了我这副模样，让我只有一只脚。人的外貌都是上天赋予的。所以说这是天生的，并非后天的。"

生活在沼泽附近的野鸡每走十步才能吃到一口东西，每走一百步才能喝到一口水，但是它并不希望被养在鸡笼里。虽然生活在笼子里不用担心温饱，但纵然有十足的活力，也不会很开心的。

老聃去世了，秦失前去吊唁，恸哭几声就走了。老聃的弟子问他："你不是我们老师的朋友吗？"秦失回答："是啊。"弟子们又问："像你这样吊唁朋友也可以吗？"秦失说："当然可以啊。本来我觉得你们跟随你们的老师那么多年，应该都是超然之人了，如今一看并非如此。刚刚我去灵房，有老人在恸哭，像长辈哭自己的孩子一样；有年轻人也在哭，像孩子在悲悼父母一样。他们能聚在这里，一定是因为他们情不自禁地想表达什么，不能自已地放声哭泣。他们这样乐生恶死是违背常理和常情的，他们都不记得人皆受命于天。古人把这称作违背自己的过失。正该来时，老聃应时而生，正该去时，他顺时而死。像这样合乎常理、顺乎自然的，是不带有任何悲喜情感的。古人就把这称为自然的解脱，就像消除了苦难一样。”

脂膏做的烛薪有燃尽的时候，但火种可以延续下来，并且永远不会熄灭。

人间世

【题解】

本篇旨在讲述处世之道，主旨与《养生主》基本相同，但论述得更深入、系统，阐明如何做到《养生主》中提出的“缘督以为经”。

全篇分为前后两部分，世事艰难引出了“无用之用”的观点，无用之用正是“虚以待物”的表现。同时，无用之用的观点也决定了庄子“虚无”的生活态度，充满了辩证思想，有用和无用是客观的，同时也是相对的，而且在特定生活环境里还会出现其他的现象。

【原文】

颜回[①]见仲尼，请行。曰：“奚之？”曰：“将之卫。”曰：“奚为焉？”曰：“回闻卫君，其年壮，其行独。轻用其国，而不见其过。轻用民死，死者以国量乎泽若蕉，民其无如矣。回尝闻之夫子曰：‘治国去之，乱国就之，医门多疾。’愿以所闻思其则，庶几其国有瘳[②]乎！”

仲尼曰：“嘻！若殆往而刑耳！夫道不欲杂，杂则多，多则扰，扰则忧，忧而不救。古之至人，先存诸己而后存诸人。所存于己者未定，何暇至于暴人之所行！

“且若亦知夫德之所荡，而知之所为出乎哉？德荡乎名，知出乎争。名也者，相轧也；知也者，争之器也。二者凶器，非所以尽行也。

“且德厚信矼[③]，未达人气；名闻不争，未达人心。而强以仁义绳墨之言，术暴人之前者，是以人恶有其美也，命之曰菑[④]人。菑人者，人必反菑之，若殆为人菑夫？且苟为悦贤而恶不肖，恶用而求有以异？若唯无诏，王公[⑤]必将乘人而斗其捷。而目将荧之，而色将平之，口将营之，容将形之，心且成之。是以火救火，以水救水，名之曰益多。顺始无穷，若殆以不信厚言，必死于暴人之前矣！

“且昔者桀[⑥]杀关龙逢，纣[⑦]杀王子比干，是皆修其身以下伛拊[⑧]人之民，以下拂其上者也，故其君因其修以挤之。是好名者也。昔者尧攻丛、枝、胥敖[⑨]，禹攻有扈，国为虚厉，身为刑戮；其用兵不止，其求实无已。是皆求名实者也，而独不闻之乎？名实者，圣人之所不能胜也，而况若乎！虽然，若必有以也，尝以语我来。”

【注释】

①颜回：孔子的弟子，姓颜名回，字子渊，鲁国人。②瘳（chōu）：病愈。③信矼（qiāng）：信誉确实。④菑（zāi）：同“灾”，灾害。⑤王公：指卫君。⑥桀：夏朝最后一个国君，素以暴虐著称于史。⑦纣：商朝最后一个国君，史传又一个暴君。⑧伛（yǔ）拊：曲身抚爱，指怜爱。⑨丛、枝、胥敖：帝尧时代的三个小国的国名。

【译文】

颜回拜望孔子，向他辞行。孔子问：“要去哪儿呢？”颜回说：“去卫国。”孔子又问：“去卫国做什么？”颜回说：“听说卫国国君正年轻，行为专断。他处理政事轻率妄动，却不知道自己有失误。他轻率地役使百姓而不爱惜百姓的生命，死的百姓积满了山泽，如草芥一般，百姓真是无处可走了。我曾经听老师说过：‘太平的国家可以不去管它，混乱不安的国家却一定要去，就如同医生家门口总有很多病人一样。’我希望依照老师的教诲去思考治理卫国的办法，也许能让它慢慢恢复国力吧！”

孔子说：“唉！你不怕在卫国遭到谋杀吗！推行道义是不应该心杂的，心杂了会让事情生出很多枝节，枝节多了，心就会烦乱，心一烦乱就会有更多忧虑，忧虑太多就难以保全自己，连自己都保护不了，怎么拯救国家呢？古时，道德高尚的人，总是先让自己成熟，才去援助别人。现在，在你自己的修为还不够时，怎么有能力去向暴君推行道义呢？

“你知道是什么使道德腐坏、使智慧显露吗？道德的腐坏是因为追逐声望，智慧的显露是因为喜欢争个是非。名声是互相倾轧的缘由，智慧是相互斗争的手段。两者都是不善的东西，不能够把它们推行到世间。

“即使一个人敦厚诚实，也未必能与别人和睦无争；即使一个人不图名利，也未必能得到普遍的认同。而勉强把善恶伦理之类的道理讲给暴君，就好比拿别人的丑恶来彰显自己的美德，这相当于害人。害了人就必定被别人所害，所以你这样做也许会遭到别人的伤害的呀！况且，如果说厌恶恶人，那么，哪儿还需要等你去改变世界？你如果真的去了卫国也不能向卫君进谏，不然卫君一定会趁你不小心说漏嘴的机会迅速地与你争辩。你眼花缭乱，但表面装作镇定，说话前后矛盾，神色将被迫屈服，在心里也就认同卫君的行为原则了。这样做相当于以火救火，以水救水，错上加错啊。一开始就顺从他，以后会永远顺从下去。如果你没有得到他的信任还执意进言，就必定会死在这位暴君手里。

“曾经，夏桀杀死了勇于直谏的关龙逢，商纣王杀了王子比干，这些贤臣无一例外地注重自身修养，以臣子的姿态抚爱国家的百姓，同时也以臣子的位置违逆了他们的国君，所以国君就因他们素质高尚而排斥他们、迫害他们。这就是追逐名声的下场。以前，尧讨伐丛、枝、胥敖，夏禹攻打有扈，这些国家变为废墟，生灵涂炭，而国君也遭受杀戮，这是他们用兵不断、贪图实利的结果。这些都是追逐名利的下场，你都没听说过吗？名望与利益，连圣人也不能够超脱，又何况你呢？即便是如此，你必定有自己的道理，你试着把它讲给我吧。”

【原文】

颜回曰：“端而虚，勉而一。则可乎？”曰：“恶，恶可！夫以阳为充孔扬，采色不定，常人之所不违，因案人之所感，以求容与其心，名之曰日渐之德不成，而况大德乎！将执而不化，外合而内不訾[①]，其庸讵可乎！”

“然则我内直而外曲，成而上比。内直者，与天为徒。与天为徒者，知天子之与己皆天之所子。而独以己言蕲乎而人善之，蕲乎而人不善之邪？若然者，人谓之童子，是之谓与天为徒。外曲者，与人之为徒也。擎跽[②]曲拳，人臣之礼也，人皆为之，吾敢不为邪？为人之所为者，人亦无疵焉，是之谓与人为徒。成而上比者，与古为徒，其言虽教，谪[③]之实也，古之有也，非吾有也。若然者，虽直而不病[④]，是之谓与古为徒。若是则可乎？”仲尼曰：“恶，恶可！大多政法而不谍[⑤]，虽固亦无罪。虽然，止是耳矣，夫胡可以及化！犹师心者也。”

颜回曰：“吾无以进矣，敢问其方。”仲尼曰：“斋，吾将语若！有心而为之，其易邪？易之者，皞[⑥]天不宜。”颜回曰：“回之家贫，唯不饮酒不茹荤者数月矣。如此，则可以为斋乎？”曰：“是祭祀之斋，非心斋也。”回曰：“敢问心斋。”仲尼曰：“若一志，无听之以耳而听之以心，无听之以心而听之以气[⑦]。听止于耳，心止于符。气也者，虚而待物者也。唯道集虚。虚者，心斋也。”

颜回曰：“回之未始得使，实自回也；得使之也，未始有回也。可谓虚乎？”夫子曰：“尽矣。吾语若。若能入游其樊而无感其名，入则鸣，不入则止。无门无毒，一宅而寓于不得已，则几矣。绝迹易，无行地难。为人使易以伪，为天使难以伪。闻以有翼飞者矣，未闻以无翼飞者也；闻以有知知者矣，未闻以无知知者也。瞻彼阕者，虚室⑧生白，吉祥止止。夫且不止，是之谓坐驰，夫徇⑨耳目内通而外于心知，鬼神将来舍，而况人乎！是万物之化也，禹、舜之所纽也，伏戏、几蘧之所行终，而况散焉者乎！”

【注释】

①訾（zǐ）：采取。②跽（jì）：跪拜。③谪（zhé）：指责。④病：灾祸。⑤谍：妥当。⑥暤（hào）：通“昊”，广大。⑦气：指构成宇宙万物的本原。⑧虚室：空灵的精神世界。⑨徇：使。

【译文】

颜回说：“我外表端正而内心谦逊，始终如一地勤奋努力，这样可以吗？”孔子说：“唉，这怎么可以呢！卫君脾气暴躁，盛气凌人，人们不敢有一点违逆他的行为，他借此打压人们的个人情感和不同政见，由此放纵自己的欲望。几乎是每天用道德去感化他都不会有用的，何况用道义大德去劝导他呢？他一定固执己见，嘴上赞成内心里却不加反省，你的理想怎么能实现得了呢？”

颜回说：“这样我就内心保持正直而在外低眉屈就，内心有主见并处处以古代贤人为榜样。内心坚守诚直，这是归属于自然。而国君与自己都是老天抚育的孩子。我怎么会期望别人称赞自己所讲的话为善，又怎么会期望别人指责为不善呢？这样做，就是人们说的未失童心，与自然是一致的。表面低眉俯首的人，跟俗世之人一样。手持朝笏板躬身叩拜是作为臣子的礼节，别人都这样去做，我能不一样吗？做一般人臣都做的事，也就不会被排挤了吧。与普通人类同，但心中有原则而上比古贤，与古人为伍。他们的话虽然很有教育意义，针砭时弊才是真情实意。像这样，即使刚正不阿也不会受到侵害，这就是与古人为伍。这样说可以吗？”孔子说：“唉，怎么可以呢？有太多的事需要更正，即便是有所标榜的古人也会有问题，尽管孤陋又不通达也不会受什么责难。即使这样，也不过如此罢了，能用什么感化他呢！你真是太执着太自我了啊。”

颜回说："我想不出更好的办法了，冒昧向您求教。"孔子说："你先斋戒静心，然后我再告诉你。如果你用心去感化国君，就会容易吗？如果这么容易的话，上天也会认为这是不合理的。"颜回说："我家境贫寒，不喝酒、只吃素已经好几个月了。像这样，能算斋戒吗？"孔子说："这是祭祀前的斋戒，并不是'心斋'。"颜回说："请问何谓'心斋'？"孔子说："抛开所有杂念，专一凝神，不用耳朵去听而用心领会，不用心领会而用虚空静寂的心境感应。耳只是用来聆听的，心是用来与外界事物相交的。虚空静寂的心境才是虚弱柔顺又可以应对万物的，只有大道才能交汇在虚空静寂的心境中。虚无静寂的心境就叫作'心斋'。"

颜回说："我不曾听过'心斋'教诲的时候，确实感到了自己真实的存在；我接受了'心斋'的教诲，我瞬间感到从来没有过真实的自己。这叫作虚无静寂的心境吗？"孔子说："你对'心斋'理解得非常到位。我再告诉你，如果能走入名利场中游历一番，但不为名利所动，卫君接受你，你就向他阐明观点；如果不接受，你就不说，不去追寻仕途之路，也不向世人展示自己的索求，心神凝聚没有私念，把自己寄托在无可奈何的境地，就符合'心斋'的标准了。一个人不走路不难，走了却不留任何脚印就很难；受世人的排挤不难伪装，受自然的排斥就难以伪装了。听过凭借双翅才能飞的，没听过没有翅膀也可以飞的；听过有智慧才能理解事物，没听过即使不聪明也可以理解事物的。望望那寥廓的天空，虚空的心境瞬间只剩精白，而什么都不再留存，一切妙事都消逝在凝静的心中。到这个地步思想还不能静止，这叫形坐神驰。如果让耳目向内通达但向外闭塞，鬼神都会前来归附，更何况是人呢！这是万物的变更，是禹和舜掌握的要义，也是伏羲、几蘧所依照的道理，何况平凡之人呢！"

【原文】

叶公子高[①]将使于齐，问于仲尼曰："王使诸梁也甚重。齐之待使者，盖将甚敬而不争。匹夫犹未可动，而况诸侯乎！

吾甚栗之。子常语诸梁也曰：‘凡事若小若大，寡不道以欢成。事若不成，则必有人道之患；事若成，则必有阴阳之患②。若成若不成而后无患者，唯有德者能之。’吾食也执粗而不臧，爨③无欲清之人。今吾朝受命而夕饮冰，我其内热与！吾未至乎事之情而既有阴阳之患矣。事若不成，必有人道之患。是两也，为人臣者不足以任之，子其有以语我来！”

仲尼曰：“天下有大戒二：其一命也，其一义也。子之爱亲，命也，不可解于心；臣之事君，义也，无适④而非君也，无所逃于天地之间。是之谓大戒。是以夫事其亲者，不择地而安之，孝之至也；夫事其君者，不择事而安之，忠之盛也；自事其心者，哀乐不易施乎前，知其不可奈何而安之若命，德之至也。为人臣子者，固有所不得已。行事之情而忘其身，何暇至于悦生而恶生！夫子其行可矣。

“丘请复以所闻：凡交，近则必相靡⑤以信，远则必忠之以言⑥。言必或传之。夫传两喜两怒之言，天下之难者也。夫两喜必多溢美之言，两怒必多溢恶之言。凡溢之类妄，妄则其信之也莫，莫则传言者殃。故法言曰：‘传其常情，无传其溢言，则几乎全。’且以巧斗力者，始乎阳，常卒乎阴，大至则多奇巧；以礼饮酒者，始乎治，常卒乎乱，大至则多奇乐。凡事亦然：始乎谅，常卒乎鄙；其作始也简，其将毕也必巨。

“夫言者，风波也；行者，实丧也。风波易以动，实丧易以危。故忿设无由，巧言偏辞。兽死不择音，气息茀然⑦，于是并生心厉。克核大至，则必有不肖之心应之，而不知其然也。苟为不知其然也，孰知其所终！故《法言》曰：‘无迁令，无劝成。过度，益⑧也。’迁令劝成殆事，美成在久，恶成不及改，可不慎与！且夫乘物以游心，托不得已以养中，至矣。何作为报也？莫若为致命⑨，此其难者。”

【注释】

①叶公子高：楚庄王玄孙尹成子，名诸梁，字子高。②阴阳之患：指提心吊

胆、忧劳成疾。③爨（cuàn）：炊，烹饪食物。④适：往、到。⑤靡：通“摩”，爱抚顺从的意思。⑥忠之以言：用忠实的语言相交。⑦茀（bó）然：勃然，怒气发作。⑧益：添加。⑨为致命：原原本本地传达国君的意见。一说“命”当讲作天命，即自然的意思，则全句大意是不如顺应自然。

【译文】

叶公子高将出使齐国，他向孔子请教说：“楚王派我出使齐国，我身兼重大使命。齐国接待外国使者，总是表面尊重而实质怠慢。我连普通百姓都不能说服，何况是诸侯呢！我非常担心。您常对我说：‘无论事情多大，几乎都得通过语言表达才能取得圆满。我如果办不成，必然要受到国君的处罚；如果办成了，必然会悲喜交集惹出麻烦。成不成都不会引起祸害，只有有修为的人才能做到。’我每天粗茶淡饭，做饭的人也不需要解凉散热。我今天早上接到国君的命令，晚餐就得喝冰水，可能由于我的内心焦躁难安吧！我没有接触到事情的实质，就已经因为悲喜交加而生病；如果真的办不成，必然还会受到国君的处罚。成与不成这两种结果，我都不能够承担，先生有什么办法吗！”

孔子说：“世间有两个足以为戒的方法：一是天性，二是道义。儿女孝敬老人，是自然天性，不用解释；臣子侍奉国君，是做人的道义，天下之大，任何地方都有国君的统治，这是在所难免的。这就是为戒的大法。奉养父母的人，不管身在什么样的境遇都要让父母舒适，这是最大的孝心；侍奉国君的臣子，做什么事情都要让国君安心，这是最大的忠诚。注重自我修养的人，悲喜都不能轻易影响他，他明白世事艰难，无可奈何却能安于现状，顺乎自然，这就是道德修养的最高境界。做臣子的本来就有为难之事，遇事就要能掌握真情并忘掉自己，怎么顾得上贪恋人生、害怕死亡呢！你这样去做就足够了。

“但我还是把知道的道理都讲给你：与邻国交往一定要讲究诚信，让彼此之间亲近，与远方国家交往一定要用语言沟通来表示彼此间的真诚。两国间的语言需要有人相互传达。传达表现两国国君喜怒的话，是世上最难做好的事。他们喜悦时必然多有溢美之词，他们愤怒时必然多有溢恶之辞。过度的言辞都像虚构的一样，这种言辞的真实度是让人怀疑的，国君一旦产生怀疑，传达信息的使者就要受到连累。因此古人说：'传达平实的话，不能转达过度的话，就可以保全自身了。'何况用智慧彼此较量的人，起初平和，到以后就经常使用诡计，到了极致时则大耍手腕。按照礼节参加酒宴的人，最初中规中矩，后来就大失形象，达到极致时则荒淫无度。恐怕任何事情都是这样的：最初时相互信任，到头来彼此欺骗；起初时纯粹，结束时复杂。

"说话就像风吹皱的水面，传达言语一定会有得有失。风吹动水面就动荡不安，有了得失就容易出现危险。之所以生气，就是因为言辞不实际而又片面不当。猛兽死前什么声音都叫得出来，怒气勃发，于是产生害人的念头。凡是太苛刻的，都会让人产生恶念来对付，而他自己也不知道这是怎么了。比如他做了些事情但又不知道为什么要做这些事。谁还能料到他会有怎样的后果！为此古书上说：'不要随意变动已发出的命令，不要强迫别人去做他做不到的事，说话过头一定会惹出事端的。'更改命令或逼迫他人都非常危险，成就一桩好事要花很多功夫，坏事一旦做了会带来瞬间的恶果。在这世上能不小心吗！至于顺乎天性而让心自由自在，把所有都寄托在无可奈何之上以便养精蓄锐，就是最佳方法了。为什么一定要刻意完成国君的使命呢？不如平实地传达国君交代的话，这样做不容易。"

【原文】

颜阖[①]将傅卫灵公大子，而问于蘧伯玉曰："有人于此，其德天杀。与之为无方[②]，则危吾国；与之为有方，则危吾身。其知适足以知人之过，而不知其所以过。若然者，吾奈之何？"

蘧伯玉曰："善哉问乎！戒之，慎之，正女身也哉！形莫若就，心莫若和。虽然，之二者有患。就不欲入，和不欲出。形就而入，且为颠为灭，为崩为蹶。心和而出，且为声为名，为妖为孽。彼且为婴儿，亦与之为婴儿；彼且为无町畦③，亦与之为无町畦；彼且为无崖④，亦与之为无崖。达⑤之，入于无疵。

“汝不知夫螳螂乎？怒⑥其臂以当车辙，不知其不胜任也，是其才之美⑦者也。戒之，慎之！积伐而美者以犯之，几矣。汝不知夫养虎者乎？不敢以生物与之，为其杀之之怒也；不敢以全物与之，为其决之之怒也。时其饥饱，达其怒心。虎之与人异类而媚养己者，顺也；故其杀者，逆也。

夫爱马者，以筐盛矢，以蜄⑧盛溺。适有蚊虻仆缘，而拊之不时，则缺衔、毁首、碎胸。意有所至而爱有所亡，可不慎邪！”

【注释】

①颜阖：鲁国的贤人。②方：方圆，规矩。③町畦（tǐng qí）：田间的界路，喻指分界、界线。④崖：山边或岸边，喻指无边，没有约束。⑤达：通达。⑥怒：奋起。⑦是其才之美：即自恃才能太高。⑧蜄（shèn）：这里指蛤壳。

【译文】

颜阖受邀请去给卫太子当老师，他问卫国贤大夫蘧伯玉：“现在有这么个人，他的生性残暴。与他朝夕相处，如果教导他不得其方，势必影响到国家的安危；如果使他合于义方，则危害自身。他的智慧足以看透别人的善恶，却不明白别人为什么会这样。这种情况，该如何处理呢？”

蘧伯玉说：“问得不错！要警惕，首先要严格要求自己！表面上顺从他以表示亲近，内心里循着他的性情慢慢暗中疏导。不过这两种态度还是有隐患。依附他时不要太过亲密，劝导他时不要心意外露。表面上亲附到关系太过密切，就会给自己招来祸患和失败；内心顺其性情劝导如果显得太张扬，就会被认为有名利之图，也会招致祸患。假如他像个天真的孩子一样，你也暂且与他一样像个幼稚的儿童；假如他与你不分彼此，那你也就和他不分彼此。假如他和你无拘无束，那么你也暂且同他一样无拘无束。潜移默化地把他引入思想的正轨，就可以进一步达到不出差错的地步。

“你不知道螳螂吗？它奋力用自己的手臂去抵挡滚动的车轮，不知道以自己的力量不能挡住车轮，还自我感觉很强大。要警惕啊！常常自我夸奖一旦触犯了他，你就危险了。你不知道养虎的人吗？他不敢用活的动物喂老虎，是因为他害怕猎杀活物会让老虎更凶狠；他也从不用完整的动物去喂老虎，因为他害怕撕裂动物会诱发老虎的残忍。他了解老虎什么时候饥饿或吃饱，也了解老虎暴戾凶猛的本性。老虎和人并非同类，却会向饲养它的人摇尾乞怜，这是源于养虎人能顺应老虎的习性。而老虎之所以伤害人，是由于人们触犯了老虎的习性。

“有个爱马的人，用精致的竹筐盛马粪，用贵重的蛤壳接马尿。恰好有一只牛虻咬在马背上，爱马人为马担心，出于马的意外用手拍牛虻，谁知马儿受了惊，咬开了勒口，挣断了辔头，毁坏了胸络。出于爱的本意，却弄巧成拙，怎么能不审慎呢！”

【原文】

匠石之齐，至于曲辕，见栎社树。其大蔽数千牛，絜[①]之百围，其高临山，十仞而后有枝，其可以为舟者旁十数。观者如市，匠伯不顾，遂行不辍。弟子厌观之，走及匠石，曰：“自吾执斧斤以随夫子，未尝见材如此其美也。先生不肯视，行不辍，何邪？”曰：“已矣，勿言之矣！散木[②]也，以为舟则沉，以为棺椁则速腐，以为器则速毁，以为门户则液樠[③]，以为柱则蠹[④]。是不材之木也，无所可用，故能若是之寿。”

匠石归，栎社见梦[⑤]曰：“女将恶乎比予哉？若将比予于文木邪？夫柤[⑥]梨橘柚，果蓏[⑦]之属，实熟则剥，剥则辱，大枝折，小枝泄[⑧]。此以其能若其生者也，故不终其天年而中道夭，自掊[⑨]击于世俗者也。物莫不若是。且予求无所可用久矣，几死，乃今得之，为予大用。使予也而有用，且得有此大也邪？且也若与予也皆物也，奈何哉其相物也？而几死之散人，又恶知散木！”

匠石觉而诊其梦。弟子曰："趣取无用，则为社何邪？"曰："密！若无言！彼亦直寄焉，以为不知己者诟厉也。不为社者，且几有翦乎！且也，彼其所保与众异，而以义喻之，不亦远乎！"

【注释】

①絜（xié）：用绳子量粗细。②散木：无用之木。③液樠（mán）：液体渗出。④蠹（dù）：蛀蚀。⑤见（xiàn）梦：托梦。⑥柤（zhā）：楂。⑦蓏（luǒ）：果实。⑧泄（yè）：通作"抴"，用力拉的意思。⑨掊（pǒu）：打。

【译文】

一个叫石的木匠前去齐国，到了曲辕，看见一棵被视为社神的栎树。这棵栎树树冠茂盛硕大，树荫可以笼盖几千头牛，用绳子围着树干测量，足足有十丈粗，树梢碰触山顶，在离地八十尺的地方才分出枝杈，它能造十几艘大船。慕名而来的人像赶集似的来来去去，但那匠人连瞧也不瞧一眼，寸步不停地往前走。他的徒弟站在树下看了好久，跑着追上了师父，问道："从我拿起刀斧跟您学艺起，还从没见过这样壮大的树。但是您一眼都不看，不停地赶路，这是为什么？"匠人回答说："罢了，别再提它了！这是一棵毫无用处的树，如果用它做船，船一定会沉；用它做棺材，棺材会烂得很快；用它做器具，也会很快破损；用它做门，一定会合不上门缝；用它做屋柱，一定会遭到蛀蚀。这不是个好材料，没什么用，所以它才有这么长的寿命。"

匠人石回到家，晚上梦到社树对他说话："你把我和什么相提并论呢？你要拿可用的木材与我相比吗？那楂树、梨树、橘树、柚子树都是果树，果子一熟就被打落在地，果子落下以后，它们的枝干也会饱受摧残，大枝干被折断，小枝丫也被扯下来。因为它们结出了美味的果实才让自己一生饱受痛苦，所以它们往往不能享尽天年就夭折了，还总是招致世人的打击。万物都是这个道理。并且我探索毫无用处的办法已经很久很久了，差点被砍倒，到现在我才保全了性命，正是没有用成就了我最大的用处。如果我也是有用的，还能享受到延年益寿这一最大的益处吗？何况，你我皆为万物之一，你怎么能这样看待这件事呢？你不过是临近死亡的散人，怎么能真正理解散木呢！”

匠人石醒后把这个梦讲给徒弟。徒弟又问：“意在于追求无用，那为什么又做社树来供世人瞻仰呢？”匠人石回答：“住嘴吧，别说了！那不过是它的寄托而已，反而招致不了解它的人的责备和侮辱。如果它不是社树，不就早被砍伐了吗？况且它用与众不同的方式来保全自己，若用常理去理解，不就相差太远了吗！”

【原文】

南伯子綦①游乎商之丘，见大木焉，有异，结驷②千乘，将隐芘③其所藾④。子綦曰：“此何木也哉？此必有异材夫！”仰而视其细枝，则拳曲而不可以为栋梁；俯而视其大根，则轴解⑤而不可以为棺椁；咶⑥其叶，则口烂而为伤；嗅之，则使人狂酲⑦，三日而不已⑧。

子綦曰：“此果不材之木也，以至于此其大也。嗟乎⑨神人，以⑩此不材！”宋有荆氏⑪者，宜楸柏桑。其拱⑫把而上者，求狙猴之杙⑬者斩之；三围四围⑭，求高名⑮之丽者斩之；七围八围，贵人富商之家求樿傍⑯者斩之。故未终其天年，而中道之夭于斧斤，此材之患也。故解之以牛之白颡者与豚之亢鼻者，与人有痔病者不可以适河。此皆巫祝以知之矣，所以为不祥也。此乃神人之所以为大祥也。

【注释】

①南伯子綦：人名，庄子寓言中的人物。②驷（sì）：一辆车套上四匹马。③芘：通“庇”，荫庇。④藾（lài）：荫。⑤轴解：树干中心有裂缝。⑥咶（shì）：通“舐”，用舌舔。⑦酲（chéng）：酒醉。⑧已：止。⑨嗟乎：感叹声。⑩以：如。⑪荆氏：地名。⑫拱：两手相合。⑬杙（yì）：用来系牲畜的小木桩。⑭围：一说指两臂合抱的长度。⑮高名：指地位高贵、名声显赫的人家。⑯樿（shàn）傍：指由整块板做成的棺木左右扇。

【译文】

南伯子綦在商丘游玩，看见一棵奇异的大树，上千辆四匹马拉的大车都能够停在树荫下休息。子綦说：“这是什么树？它一定是特异的材质啊！”抬头观看大树的树枝，弯弯曲曲的，并不能用来做栋梁；俯视大树的主干，树心直到表皮都开着口子，并不能用来做棺椁；伸舌头舔一舔树叶，口舌就溃烂了；用鼻闻一闻气味，人就醉了，三天三夜都醒不过来。

子綦说：“这果然是毫无用处的树，所以才长到这么高。唉，精神上完全超脱的‘神人’，就像这不成材的树木呢！”宋国有个地方叫荆氏，适合生长楸树、柏树和桑树。树干长到一两把粗的时候，就被砍去做系猴子的木桩；树干长到三四围粗的时候，就被高贵显赫的人家砍去当作房屋的大梁；树干长到七八围粗的时候，就被高官富商家砍去做整副的棺木。所以它们总是不能尽享天年，而是半路被砍伐而夭折。这就是有用的材料招来的祸患。所以古人祈祷神灵消灾避害，从不把白额的牛、高鼻折额的猪以及患病的人放入河中进行献祭。这些事情巫师都是知道的，认为它们都是不祥的。但这就是“神人”所认为的世上最大的吉祥。

【原文】

支离疏①者，颐②隐于脐，肩高于顶，会撮③指天，五管④在上，两髀⑤为胁。挫针治繲⑥，足以糊口；鼓筴⑦播精，足以食十人。上征武士，则支离攘⑧臂而游于其间；上有大役，则支离以有常疾不受功⑨；上与病者粟，则受三钟⑩与十束薪。夫支离其形者，犹足以养其身，终其天年，又况支离其德者乎？

【注释】

①支离疏：假托的人名。②颐：下巴。③会撮：发髻。④五管：五脏的穴道。⑤髀（bì）：股骨，这里指大腿。⑥挫针治繲（jiè）：缝洗衣服。繲，脏旧衣服。⑦筴（cè）：小簸箕。⑧攘（rǎng）：捋。⑨功：当差。⑩钟：古代粮食计量单位，合六斛四斗。

【译文】

有个人叫支离疏，下巴长在肚脐下，两肩高过头颅，后脑下的头发朝天，五脏的穴道也都向上，两腿和两边的胸肋长在一起。他给人缝洗衣服，足以养家糊口；又给人筛糠簸米，足以养活十口人。国君征兵时，支离疏挽起袖子、伸出胳膊在人们面前走来走去；国君有大的差役，支离疏因为残疾而免除了；国君向残疾人赈济米粟，支离疏还领得三钟粮食和十捆薪柴。像支离疏那样身患残疾的人，还能够养活自己，终享天年，更何况忘掉世俗道德的人呢！

【原文】

孔子适①楚，楚狂接舆②游其门曰："凤③兮凤兮，何如德之衰也！来世不可待，往世不可追也。天下有道，圣人成焉；天下无道，圣人生④焉。方今之时，仅免刑焉。福轻乎羽，莫之知载；祸重乎地，莫之知避。已乎已乎，临人以德！殆乎殆乎，画地而趋！迷阳迷阳⑤，无伤吾行！吾行郤曲⑥，无伤吾足。"

山木自寇也，膏火自煎也。桂可食，故伐之；漆可用，故割之。人皆知有用之用，而莫知无用之用也。

【注释】

①适：往。②楚狂接舆：楚国的隐士，相传姓陆名通，接舆为字。③凤：凤鸟，这里用来比喻孔子。④生：保全性命。⑤迷阳：一种多刺的草，即荆棘。⑥郤曲：屈曲，指道路曲折难行。

【译文】

孔子去楚国，楚国隐士接舆故意来到孔子面前，说："凤凰啊，凤凰！你为何志存高远却来到如此衰败的国家！未来不可预料，已逝的时日无法挽回。天下得以治理，圣人便成就了功业；但国君昏庸，天下混乱，圣人也只是苟全性命。如今这个时代，就只能免遭刑罚。幸福比羽毛还轻，却不懂得如何享受；灾祸比大地还重，而不懂得如何回避。算了吧，算了！不要在世人面前张扬你的品行！危险啊，危险！人为地画出一条路让人们去沿袭！遍地丛生的荆棘啊，请不要妨碍我的行路！曲折的道路啊，不要伤害我的双足！"

山上的树木皆因有可用之处而招致砍伐，油燃起烛火也因可以用来照明而自行消失。桂树皮芳香可食，所以被砍伐；树漆因为有可用之处，所以遭受刀斧切割。世人都知道有用的用处，却不明白无用的更大用处。

德充符

【题解】

本文是一篇道德论，体现了庄子对完美道德的推崇。他所讲的道德并非儒家所称的礼义道德，而是遵循自然变化的一种心态。庄子认为宇宙万物都源于“道”，并且万事万物虽然各有千秋，但从最根本上来说又都是统一的。从这两种思想出发，表露在人的观念形态上应是“忘形”与“忘情”。这里所说的“忘形”就是事物的相互融合，生死同一；所说的“忘情”便是忘却宠辱、贵贱、是非之分。而这就是庄子所说的“德”。本文想象出一系列丑陋残疾但内质完美的人物形象，他们都是道德完美的象征，故题名“德充符”。

【原文】

鲁有兀[①]者王骀，从之游者与仲尼相若。常季[②]问于仲尼曰：“王骀，兀者也。从之游者与夫子中分鲁[③]。立不教，坐不议；虚而往，实而归。固[④]有不言之教，无形而心成者邪？是何人也？”仲尼曰：“夫子，圣人也，丘也直[⑤]后而未往耳。丘将以为师，而况不若丘者乎！奚[⑥]假鲁国，丘将引天下而与从之。”

常季曰：“彼兀者也，而王先生，其与庸亦远矣。若然者，其用心也独若之何？”仲尼曰：“死生亦大矣，而不得与之变，虽天地覆坠，亦将不与之遗[⑦]。审乎无假而不与物迁，命物之化而守其宗也。”常季曰：“何谓也？”仲尼曰：“自其异者视之，肝胆楚越也；自其同者视之，万物皆一也。夫若然者，且不知耳目之所宜，而游心乎德之和；物视其所一而不见其所丧，视丧其足犹遗土也。”

常季曰：“彼为己以其知得其心，以其心得其常心⑧，物何为最之哉？”仲尼曰：“人莫鉴⑨于流水而鉴于止水，唯止能止众止。受命于地，唯松柏独也正，在冬夏青青；受命于天，唯舜独也正，为万物之首。幸能正生⑩，以正众生。夫保始之征，不惧之实，勇士一人，雄入于九军⑪。将求名而能自要⑫者，而犹若是，而况官天地，府万物，直寓六骸，象耳目，一知之所知，而心未尝死者乎！彼且择日而登假，人则从是也。彼且何肯以物为事乎！”

【注释】

①兀：通“跀”（yuè），断足的刑法。②常季：鲁国贤人，传说为孔子弟子。③中分鲁：在鲁国平分。④固：岂，表反问。⑤直：通作“特”，仅，只。⑥奚：何。⑦遗：失，指消亡。⑧常心：永恒不变的思想，即天道。⑨鉴：照看，审察。⑩正生：即正己，指端正自己的品行。⑪九军：犹言千军万马。九，非实数。⑫自要：自我要求。

【译文】

鲁国有个被砍脚的人叫王骀，他的学生和孔子的门徒一样多。孔子的学生常季问孔子说：“王骀是个失去了一只脚的人，他的学生却和您的学生一样多。他站起来不能教人知识，坐下也不会议论时事，学生们却能空空而来，满满而去，难道真的有不用言说的教诲，在无形之中让人日渐成熟吗？这是怎样的人呢？”孔子回答说：“王骀先生可是一位大圣人，我比不上他，只是我还没去拜访他而已。我都要把他当成老师，何况比不上我的人呢！何止鲁国，我要带全天下的学子都向他学习。”

常季说：“他是个断了脚的人，但学识和品德竟比得了您，那普通人与他相比就差得更远了。像这种人，他运用思想是如何与众不同的呢？”孔子说：“生死是人一生中的大事，但是生死都不能将他改变；就算天翻地覆，他也不会为之而毁灭。他懂得无所依附的道理就不随外界变动，任凭外界事物变化而保持自己的原则。”常季说：“这怎么讲呢？”孔子说：“从事物千差万别的方面来看，肝胆虽然都在一副躯体之中，但是也像楚国和越国那样距离很远；从事物相同的方面来看，万物都是同一的。这种人，他不会知道耳朵最适宜什么声音、眼睛最适宜什么色彩，他能让自己的心思无拘无束地游荡在忘我的境界中。外物能看到一致的一面，却看不到它因缺失而导致不同的一面，所以看到失去一只脚就像失落了泥土一样。”

常季说：“他用自己的聪明智慧来提高素质修养，他用心志去追逐信仰。如果达到了忘我的境界，为什么还有那么多学生跟随在他周围呢？”孔子说：“人不能在流动的水中照出自己的倒影，反而要面朝静止的水面；只有自身宁静的事物才能让别的事物也宁静下来。所有树都听命于大地更变，唯有松柏一年四季都苍翠欲滴；每个人都听命于天，但唯有虞、舜的修养最方正，成为万人的领袖。幸好他们都能修正自己的德行，所以也能修正别人的德行。遵守事先许下的承诺，心中怀有不疑不惧的胆识，这样的勇士独身一人，也敢于挑战千军万马。汲汲于名利而要求自己的人都能这样，何况掌管宇宙，容纳万物，只不过是把身体当作栖息地，把耳目当作外形，把握了自然赐予的智慧所融汇的道理，但心灵又从来不曾衰颓的人呢！他定将选好时日登上最高的境界，人们会在他身后紧紧追随。他还如何会把众多学生当回事呢！”

【原文】

申徒嘉，兀者也，而与郑子产[①]同师于伯昏无人。子产谓申徒嘉曰：“我先出则子止，子先出则我止。”其明日，又与合堂同席而坐。子产谓申徒嘉曰：“我先出则子止，子先出则我止。今我将出，子可以止乎，其未邪？且子见执政而不违[②]，子齐[③]执政乎？”

申徒嘉曰：“先生之门，固[④]有执政焉如此哉？子而说子之执政而后人⑤者也？闻之曰：'鉴明则尘垢不止，止则不明也。久与贤人处则无过。'今子之所取大者，先生也，而犹出言若是，不亦过乎？"

子产曰："子既若是矣，犹与尧争善，计⑥子之德，不足以自反邪？"申徒嘉曰："自状⑦其过以不当亡者众，不状其过以不当存者寡。知不可奈何而安之若命，唯有德者能之。游于羿之彀中⑧，中央者，中地也，然而不中者，命也。人以其全足笑吾不全足者多矣，我怫然而怒；而适先生之所，则废然⑨而反。不知先生之洗我以善邪，吾之自寤邪？吾与夫子游十九年矣，而未尝知吾兀者也。今子与我游于形骸之内，而子索我于形骸之外，不亦过乎？"子产蹴然⑩改容更貌曰："子无乃称！"

【注释】

①郑子产：郑国的大政治家。②违：回避。③齐：与……平齐，一样。④固：岂。⑤后人：看不起人。⑥计：计算，估量。⑦状：陈述，申辩。⑧彀（gòu）中：射程之内。彀，使劲张弓。⑨废然：怒气消失的样子。⑩蹴然：神色不安的样子。

【译文】

申徒嘉是被砍了一只脚的人，与郑国的子产一同在伯昏无人门下学习。子产对申徒嘉说："如果我先出去那你就留下，如果你先出去那我就留下。"等到第二天，子产和申徒嘉都在同一个屋子里，坐在一条席子上。子产又对申徒嘉说："如果我先出去那你就留下，如果你先出去那我就留下。现在我要出去了，你选择留下还是不留下呢？你见到我这执政大臣还不避让，你把自己看得和执政大臣一样吗？"

申徒嘉说："伯昏无人先生的学生中，怎么有这样的执政大臣来学习呢？你以执政大臣自居，都不把别人放在眼里吗？我听说过一句话：'明亮的镜子上是没有尘垢停留的，尘垢落上去，镜子也就不会明亮了。长时间与贤人相处便会不犯错误。'你拜师从学要追求广博精深的见识，这才是先生所提倡的大道。而你竟然说出这种话，不是太过分了吗！”

子产说：“你已经这样了，还要跟唐尧比道德，你衡量一下自己的德行，遭受了断足之刑还不够让你有所悔悟吗？”申徒嘉说：“自己为自己的过错辩解，觉得自己不应该形残体缺的人很多；不为自己的过错辩解，认为自己不应该形体全整的人却很少。懂得事物的不可抗拒，能安于自己的处境并且看作是命运安排的那样，只有品德高尚的人才能做到。一个人来到世上就像来到了善射的后羿拉弓射箭的范围之内，中间的地方也就是最容易被射中的地方，但是没有射中，这就是命运。用完整的双脚嘲笑我残缺不全的人很多，我经常翻脸生气；不过，一来到先生的门下，我就平心静气恢复正常状态。不知道是老师用什么方法来净化我的，还是我自己悟出了真谛呢？我跟随先生十九年了，先生从不曾认为我是个没有了脚的人。现在你跟我心有灵犀、以德相交，却用外在的形体衡量我，这不是太过分吗？”子产脸色羞赧而改变态度，说：“请你不要再说了！”

【原文】

鲁有兀者叔山无趾，踵①见仲尼。仲尼曰：“子不谨，前既犯患若是矣。虽今来，何及矣！”无趾曰：“吾唯不知务而轻用吾身，吾是以亡足。今吾来也，犹有尊足②者存，吾是以务全之也。夫天无不覆，地无不载，吾以夫子为天地，安知夫子之犹若是也！”孔子曰：“丘则陋矣。夫子胡不入乎，请讲以所闻。”无趾出。孔子曰：“弟子勉之！夫无趾，兀者也，犹务学以复补前行之恶，而况全德之人乎！”

无趾语老聃曰：“孔丘之于至人，其未邪？彼何宾宾以学子为？彼且蕲③以諔诡④幻怪之名闻，不知至人之以是为己桎梏⑤邪？”老聃曰：胡不直使彼以死生为一条，以可不可为一贯者，解其桎梏，其可乎？”无趾曰：“天刑之，安可解！”

【注释】

①踵：脚后跟，这里指用脚后跟走路。②尊足：这里指道德修养。③蕲（qí）：求。④諔（chù）诡：奇异。⑤桎梏（zhì gù）：镣铐。

【译文】

鲁国有个被砍了脚趾头的人，叫叔山无趾，他用脚后跟走路去拜访孔子。孔子对他说："你不谨慎，先前犯了错误才造成这样的后果。虽然今天你找到了我，但是怎么来得及呢！"叔山无趾说："我只因不懂事理而随便损毁自身，所以才失去了脚趾。现在我来到你这里，是因为我还有比双脚更可贵的道德修养，我要努力保全它。苍天把一切都覆盖了，大地把一切都承载了，我视先生为天地，哪知先生竟是这种人！"孔子说："我孔丘确实鄙陋。先生为什么不进来呢，请把你所通晓的道理说一说。"叔山无趾走了。孔子说："弟子们要努力啊！叔山无趾是个被砍去脚趾的人，他还努力进学以弥补先前的过错，何况品行与身体都健全的人呢！"

叔山无趾对老子说："作为一个道德修养极高的人，孔子恐怕还不是吧？他怎么不断地来向你求教呢？他还在渴望用奇异怪诞的说教扬名于世，难道不明白道德修养至上的人总是把一切都当成自己的束缚吗？"老子说："为什么不直接让他把生和死看成一样，把可以与不可以当成一体，从而挣脱枷锁，这样也就可以了吧？"叔山无趾说："这是上天给他的惩罚，如何能够解脱！"

【原文】

鲁哀公问于仲尼曰："卫有恶人焉，曰哀骀它①。丈夫与之处者，思而不能去也。妇人见之，请于父母曰'与为人妻，宁为夫子妾'者，十数而未止也。未尝有闻其唱②者也，常和人而已矣。无君人之位以济乎人之死，无聚禄以望人之腹。又以恶骇天下，和而不唱，知不出乎四域，且而雌雄合乎前，是必有异乎人者也。寡人召而观之，果以恶骇天下。与寡人处，不至以月数，而寡人有意乎其为人也。不至乎期年，而寡人信之。国无宰，寡人传国焉。闷然③而后应。氾④而若辞，寡人丑乎，卒授之国。无几何也，去寡人而行，寡人恤⑤焉若有亡也，若无与乐是国也。是何人者也？"

仲尼曰："丘也尝使于楚矣，适见㹠⑥子食于其死母者，少焉眴若[7]皆弃之而走。不见己焉尔，不得类焉尔。所爱其母者，非爱其形也，爱使其形者也。战而死者，其人之葬也不以翣[8]资；刖者之屦[9]，无为爱之；皆无其本矣。为天子之诸御，不爪翦，不穿耳；取[10]妻者止于外，不得复使。形全犹足以为尔，而况全德之人乎！今哀骀它未言而信，无功而亲，使人授己国，唯恐其不受也，是必才全而德不形者也。"

哀公曰："何谓才全？"仲尼曰："死生存亡，穷达贫富，贤与不肖毁誉，饥渴寒暑，是事之变，命之行[11]也；日夜相代乎前，而知不能规乎其始者也。故不足以滑[12]和，不可入于灵府。使之和豫，通而不失于兑，使日夜无郤[13]而与物为春，是接而生时于心者也。是之谓才全。"

"何谓德不形？"曰："平者，水停之盛也。其可以为法也，内保之而外不荡也。德者，成和之修[14]也。德不形者，物不能离也。"

哀公异日以告闵子[15]曰："始也吾以南面而君天下，执民之纪而忧其死，吾自以为至通矣。今吾闻至人之言，恐吾无其实，轻用吾身而亡其国。吾与孔丘，非君臣也，德友而已矣。"

【注释】

①哀骀它：虚构的人名。②唱：通作"倡"，倡导。③闷然：无心的样子。④氾（fàn）：同"泛"，漠不关心的样子。⑤恤：忧虑。⑥豘（tún）：同"豚"，小猪。⑦眴（shùn）若：惊慌的样子。⑧翣（shà）：棺材上的装饰，形同羽扇。⑨屦（jù）：鞋子。⑩取：通"娶"。⑪命之行：自然的运行，指非人为造成的情况变化。⑫滑（gǔ）：通作"汩"，乱。⑬郤（xì）：通"隙"，间隙。⑭成和之修：事得以成功、物得以顺和的极高修养。⑮闵子：人名，孔子的弟子。

【译文】

鲁哀公问孔子："卫国有个相貌特别丑陋的人，他名叫哀骀它。男人跟他相伴，会思念他而恋恋不舍；女人看到他便请求父母说：'与其做别人的正妻，不如做哀骀它的小妾。'这样想的人已经十几个了，并且日益增多。从未听说哀骀它提倡什么，只是常常跟随别人罢了。他没有统治者的要位来拯救别人于山穷水尽的境地，他从不聚敛大量的财物来让别人吃饱肚子。他虽然面貌丑陋，让天下人吃惊，又总是附和别人而没什么主见，他的知识不超过他生活的环境，但是无论男女都喜欢他。这种人一定有不同寻常的地方。我把他带来看了看，果真相貌丑得足以惊人。但与我相处不到一个月，我就对他的为人有所了解了。不到一年，我就十分信赖他。国家缺少主持政务的官员，我就把国家大事委托给他。他表情冷淡地回应，漫不经心又似乎在加以推辞。我深感惭愧，终于把国家政事托付于他。不久，他就离开我走了，我心里愁闷，像遗失了什么一样，好像整个国家没有人能与我分享欢乐似的。这究竟是怎样的人呢？”

孔子说：“我也曾经出使楚国，恰好看见一群小猪在吮吸刚死掉的母猪的乳汁，不一会儿又惶恐不安，丢开母猪跑散了。是因为小猪发现母猪不会看自己，母猪不能像之前活着时那样喂养它们。小猪爱它们的母亲，不只是爱它的身体，而是爱主宰那个身体的灵魂。战死疆场的人，埋葬他们时不用在棺木上加饰物；砍掉了脚的人对待原来穿过的鞋子，不需要再去爱护它，这都是因为没有了根基。当天子的御女，不剪指甲，不打耳洞；娶了妻子的内侍将不再进宫，不会再服役。为保全身体都能够做到这点，何况是德性完美修养高尚的人呢？如今哀骀它不必开口就能取信于人，没有功劳也能赢得亲近，让人情愿授给他国事，还怕他不接受，这一定是才智完备而不显露的人。”

鲁哀公问：“什么是才智完备呢？”孔子说：“死、生，存、亡，穷、达，贫、富，贤能与不肖，诋毁与赞誉，饥、渴，寒、暑，这些都是事物的更变，都是自然规律使然；它们日夜在我们面前交替，但人的智慧不足以了解它们的起始。因此它们都不能够搅乱本性的谐和，也不能够侵扰人们的灵魂。要使心灵平和宁静，通达而不失愉悦，要使心境日夜不断地随万物交融在春天一样的生机中，这样便会接触外物而萌发和顺的感情。这就叫作才智完备。”

鲁哀公又问："什么是德不外露呢？"孔子说："均平，是水静止时的最佳状态。它可以作为取法的标准，浑然含蓄而不外荡。所谓德，就是事情得以成功、物得以顺畅的最高境界。德不外露，外物自然就不能离开它了。"

另一天，鲁哀公把孔子这番话告诉了闵子，说："开始我以国君的地位统治天下，控制国家的法制而担心人民的安危，便自以为是最通达的了，如今我听到至人的名言，真担心没有实际的政绩，随便作践自身而亡国。我跟孔子并非君臣关系，而是以德相交的朋友。"

【原文】

闉①跂支离无脤说卫灵公，灵公说②之，而视全人，其脰③肩肩。瓮㼜④大瘿说齐桓公，桓公说之，而视全人，其脰肩肩。故德有所长而形有所忘，人不忘其所忘而忘其所不忘，此谓诚忘。故圣人有所游，而知为孽⑤，约⑥为胶，德为接⑦，工为商。圣人不谋，恶用知？不斫⑧，恶用胶？无丧，恶有德？不货，恶用商？四者，天鬻⑨也。天鬻者，天食也。既受食于天，又恶用人！有人之形，无人之情。有人之形，故群于人；无人之情，故是非不得于身。眇乎小哉，所以属于人也！謷乎⑩大哉，独成其天！

【注释】

①闉（yīn）：屈曲。②说（yuè）：通"悦"，喜欢。③脰（dòu）：颈项。④瓮（wèng）㼜（àng）：腹大口小的陶制盛器。⑤孽（niè）：祸根。⑥约：约束，指礼仪之类。⑦德为接：把施德看作交接外物的手段。⑧斫（zhuó）：砍削。⑨天鬻（yù）：大自然的养育。⑩謷（áo）乎：高大的样子。

【译文】

一个跛脚、驼背、无唇的人去游说卫灵公，卫灵公十分欣赏他，再看看那些形体健全的人，他们的脖子实在是太细弱了。一个脖子上长瘤大如一口瓮的人游说齐桓公，齐桓公十分欣赏他，再看看那些形体健全的人，他们的脖子实在是太细弱了。因此，在德行上有超过常人的地方，其身体方面的缺陷就会被人遗忘，人们不会忘记所应该忘记的事情，而忘掉了不应该忘记的东西，这就是真正的遗忘。所以圣人总能自得其乐地游荡，把智慧当成祸根，把礼仪看作是禁锢，把施德当作交接外物的手段，把取巧看作是做生意的手段。圣人从不谋划，哪里用得着智慧？圣人从不雕琢，哪里用得着附属？圣人从不感到缺失，哪里用得着推广美德？圣人从不买卖以赚取利益，哪里用得着经商？这四种方法合成大自然的养育。所谓大自然的养育，就是大自然供给食物。既然受养于自然，那么又怎么用得着人为！有了人的模样，不一定有人的情绪。有了人的身体，所以与人结成群体，没有人的情绪，所以是与非都不会反映在他的身上。渺小呀，属于人为的偏执！伟大呀，只有大自然才能造就！

【原文】

惠子谓庄子曰："人故无情乎？"庄子曰："然"。惠子曰："人而无情，何以谓之人？"庄子曰："道①与之貌，天与之形，恶得不谓之人？"惠子曰："既谓之人，恶得无情？"庄子曰："是非吾所谓情也。吾所谓无情者，言人之不以好恶内伤其身，常因自然而不益生也。"惠子曰："不益生，何以有其身？"庄子曰："道与之貌，天与之形，无以好恶内伤其身。今子外乎子之神，劳乎子之精，倚树而吟，据槁梧而瞑②，天选子之形，子以坚白鸣！"

【注释】

①道：即宇宙万物的本体。②瞑（mián）：睡眠。

【译文】

惠子对庄子说："人本来是没有感情的吗？"庄子说："是的。"惠子说："假如人没有情，还怎么叫作人呢？"庄子说："道赋予人相貌，天赋予人身体，怎么不能称为人呢？"惠子问："既然称作了人，怎么会没有感情呢？"庄子回答说："这不是我所说的情。我所谓的无情，是说人不因好恶而导致伤害自己的本性，常常顺从自然而不人为地去增益生命。"惠子说："如果不人为地增益生命，靠什么来维系自己的形体呢？"庄子回答说："道赋予人容貌，天赋予人形体，可不能为了外在的好恶而损伤自己的本性。现在你显露你的心神，耗费了你的精力，靠着树干吟诵，倚着干枯的梧桐树闭目养神。自然给了你形体，你却因坚白论而争论不休！”

大宗师

【题解】

“宗”表达的是敬仰、尊崇，“大宗师”所讲的就是最值得敬仰、尊崇的老师。庄子认为自然万物和人类是一个统一的存在，所有人的生老病死都没有什么根本的区别，所以他主张平心敬神，离开本身，脱离思想，忘掉生死，顺应自然。这就是“道”。

【原文】

知天之所为，知人之所为者，至矣。知天之所为者，天而生也；知人之所为者，以其知之所知以养其知之所不知，终其天年而不中道夭者，是知之盛也。虽然，有患。夫知有所待[①]而后当，其所待者特未定也。庸讵知吾所谓天之非人乎？所谓人之非天乎？

且有真人而后有真知。何谓真人？古之真人，不逆寡，不雄成，不谟[②]士。若然者，过而弗悔，当而不自得也。若然者，登高不栗，入水不濡，入火不热。是知之能登假[③]于道者也若此。古之真人，其寝不梦，其觉无忧，其食不甘，其息深深。真人之息以踵，众人之息以喉。屈服者，其嗌[④]言若哇。其耆欲深者，其天机浅。古之真人，不知说生，不知恶死。其出不䜣，其入不距[⑤]。翛然而往，翛然而来而已矣。不忘其所始，不求其所终；受而喜之，忘而复之，是之谓不以心捐道，不以人助天。是之谓真人。若然者，其心志[⑥]，其容寂，其颡頯⑦；凄然似秋，暖然似春，喜怒通四时，与物有宜而莫知其极。

故圣人之用兵也，亡国而不失人心；利泽施乎万世，不为爱人。故乐通物，非圣人也；有亲，非仁也；天时，非贤也；利害不通，非君子也；行名⑧失己，非士也；亡身不真，非役人也。若狐不偕、务光、伯夷、叔齐、箕子、胥余、纪他、申徒狄⑨，是役人之役，适人之适，而不自适其适者也。

古之真人，其状义而不朋，若不足而不承。与乎其觚⑩而不坚也，张乎其虚而不华也，邴邴⑪乎其似喜乎，崔乎其不得已也。滀乎⑫进我色也，与乎止我德也，广乎其似世也。謷乎其未可制也，连乎其似好闭也，悗乎⑬忘其言也。以刑为体，以礼为翼，以知为时，以德为循。以刑为体者，绰乎其杀也；以礼为翼者，所以行于世也；以知为时者，不得已于事也；以德为循者，言其与有足者至于丘也，而人真以为勤行者也。故其好之也一，其弗好之也一。其一也一，其不一也一。其一与天为徒，其不一与人为徒。天与人不相胜也，是之谓真人。

【注释】

①有所待：有所依凭。②谟：图谋，算计。③假：至，达到。④嗌：咽喉闭塞。⑤距：通作“拒”，拒绝回避。⑥志：同“忘”字，“心忘”意思是心里空灵，忘掉自己的周围。⑦颡（sǎng）：额。頯（kuí）：宽大的样子。⑧行名：做事为取名声。⑨狐不偕、务光、伯夷、叔齐、箕子、胥余、纪他、申徒狄：皆人名，传说中远古时代（唐尧、夏禹、商汤时代）的贤人，有的为不愿接受天下，有的为忠谏不被采纳，或投水而死，或饿死，或被杀害。⑩觚（gū）：特立不群。⑪邴（bǐng）邴：欣喜的样子。⑫滀（chù）乎：水聚起来的样子，形容人容颜和悦而有光泽。⑬悗（mèn）乎：心不在焉的样子。

【译文】

了解自然的法则，并且知道人的准则，就达到了认知的极致。懂得自然的法则，是懂得顺应自然的道理；了解人的行为准则，是用他的智慧所拥有的知识顺应他智慧所未能拥有的知识，直到自然死亡而不至于夭折，这大概就是认识的极致了。虽然如此，但还是存在忧虑。人们的知识必须依赖客观验证才能判断是否恰当，而依赖的对象却不固定。如何知道我说的发乎天性的事物不是出于人为呢，又如何知道我说的出于人为的东西不是发乎天性呢？

况且有“真人”才能有真知。“真人”是什么样的人呢？古代的“真人”，从不仗势欺人，从不恃才傲物，也不斤斤计较。这种人，从不患得患失。这种人，登上高处不颤抖，下到水里不会濡湿，进入火中不觉灼热。只有让智慧畅通于大道境界的人才能如此。古代的“真人”，他睡觉时不做梦，他醒来时不发愁，他进餐时不求美味，他呼吸时气息沉稳。他的呼吸凭借的是着地的脚跟，而一般人呼吸只是靠喉咙。辩论中被屈服的人，话在喉前吞吐就像哇哇地说话。那些爱好和欲望太多的人，他们生来智慧也就不多。古代的“真人”，不知道热爱生存，也不知道厌恶死亡；出生时不欢喜，入死时不抗拒；无拘无束地就走了，自然自得地来了而已。不忘记自己从哪里来，也不追寻自己要去哪里，遭遇什么都欢欢喜喜，忽略死生像是回到了自己的本性归宿，这就叫作不用智慧去损害大道，也不用人为的因素去辅助自然。这就是“真人”。这种人，他的心里忘却了周围的一切，他的神情淡泊安然，他的表情庄重严肃；严肃时像秋天一样冷漠，和蔼时像春天一样温暖。高兴或怨怒跟四时交替一样自然而然，与外界事物相辅相成而没有谁能探究到他精神境界的真谛。

所以古代圣人用武力吞并敌国，但不失掉敌国的民心；把福利和恩泽广布于万世，而不偏爱什么人。愿意与人交往而取悦外物的人，不是圣人；有偏爱，就不是仁人；乘机行事的，不是贤人；不能洞察利害的相辅相成，算不得是君子；行事追求名声而损失自身的本性，不是有识之士；失掉身躯却与自己的真性情不符，不是役使之人。像狐不偕、务光、伯夷、叔齐、箕子、胥余、纪他、申徒狄他们这样的人都是把别人的事当作自己的事去做，把别人的快意作为自己的快意，而不是以自己的快意为快意的人。

古代的“真人”，神情严肃而不矜持，似乎有欠缺却又无所承受。态度闲适自得、特立独行而不偏执顽固，胸襟宽博虚空而不浮华，怡然欣喜好像分外高兴，举手投足又像是出于不得已。和颜悦色令人喜欢接近，与人交往宽厚仁慈让人乐于归依，气度博大像是寥廓的世界。放任自得从不受什么限制，绵邈深远好像喜欢闭塞，心不在焉的模样又好像忘了要说什么。把刑律视为主体，把礼仪视为辅助，用智慧去等候时机，以道德来遵守规律。把刑律当作主体的人，即使杀人犯法也是宽厚仁慈的；把礼仪看作辅助的人，在世上施行礼仪教育；用智慧来等候时机的人，是因为应付事物迫不得已；用道德来遵循规律，就好像说所有有脚的人都能够登上山顶，人们却以为是勤奋不懈的人。所以人们喜欢的是浑然一体的，人们不喜欢的也是浑然一体的。那些同类的东西是一体的，那些不同类的东西也是一体的。那些同一的东西与自然同类，那些不同一的东西与人同类。自然与人不会相互对立，相互超越，能有这种观念的人就叫作“真人”。

【原文】

死生，命也，其有夜旦之常，天也。人之有所不得与，皆物之情也。彼特以天为父，而身犹爱之，而况其卓乎！人特以有君为愈乎己，而身犹死之，而况其真乎！

泉涸，鱼相与处于陆，相呴①以湿，相濡②以沫，不如相忘于江湖。与其誉尧而非桀也，不如两忘而化其道。夫大块载我以形，劳我以生，佚我以老，息我以死。故善吾生者，乃所以善吾死也。

夫藏舟于壑③，藏山于泽，谓之固矣。然而夜半有力者负之而走，昧④者不知也。藏小大有宜，犹有所遁⑤。若夫藏天下于天下而不得所遯，是恒物之大情也。特犯人之形而犹喜之，若人之形者，万化而未始有极也，其为乐可胜⑥计邪？故圣人将游于物之所不得遯而皆存。善妖善老，善始善终，人犹效之，又况万物之所系而一化之所待乎！

夫道，有情有信，无为无形；可传而不可受，可得而不可见；自本自根，未有天地，自古以固存；神鬼神帝，生天生地；在太极之先而不为高，在六极之下而不为深，先天地生而不为久，长于上古而不为老。豨韦氏⑦得之，以挈⑧天地；伏戏氏得之，以袭⑨气母；维斗得之，终古不忒⑩；日月得之，终古不息；堪坏⑪得之，以袭昆仑；冯夷得之，以游大川；肩吾得之，以处大山；黄帝⑫得之，以登云天；颛顼得之，以处玄宫；禺强得之，立乎北极；西王母⑬得之，坐乎少广。莫知其始，莫知其终。彭祖得之，上及有虞，下及五伯⑭；傅说⑮得之，以相武丁，奄有天下，乘东维，骑箕尾，而比于列星。

【注释】

①呴（xū）：张口出气。②需：同"濡"。③壑：深深的山谷。④昧：通"寐"，睡觉。⑤遁：逃脱、丢失。⑥胜（shēng）：禁得起。⑦豨（xī）韦氏：传说中的远古时代的帝王。⑧挈（qiè）：提挈，含有统领、驾驭的意思。⑨袭：入。⑩忒（tè）：差错。⑪堪坏（pēi）：传说中人面兽身的昆仑山神。⑫黄帝：即轩辕氏，传说中的古代帝王，中原各族的始祖。⑬西王母：古代神话中的女神，居于少广山。⑭五伯：旧指夏伯昆吾、殷伯大彭、豕韦、周伯齐桓、晋文。⑮傅说（yuè）：殷商时代的贤才，辅佐高宗武丁，成为武丁的相。

【译文】

死生都不是人为之力能安排的，就像黑夜和白天交替那样永恒地变化，完全是因为自然。有些事情人是不可能干涉的，这都是事物自身变化的情况。人们只把天当作生命之父，而且终生崇拜它，何况那特立独行的"道"呢！人们还总认为国君一定比自己强大，而且终生愿为他效力，又何况应该尊为大师的"道"呢？

泉眼干涸了，鱼儿一起被困在陆地上，与其互相大口喘气来获得一点湿气，用唾沫相互润湿，不如回到江湖中相互忘掉吧。与其称颂唐尧的圣明而谴责夏桀的暴虐，不如把他们都忘掉而相融合于"大道"之中。大地负载我的形体，用生存来让我承受劳苦，用衰老来让我舒适休息，用死亡来让我安息。因此，如果能把我的生看作好事，也就能把我的死也看作是好事。

把船藏在大山沟里，把大山藏在深水里，可以说是十分稳妥了。但是半夜里被一个大力士把它们连带山谷和河流一起背着跑了，睡梦中的人们还什么都不知道。把小东西藏在大东西里是恰当的，但还是有丢失的可能。假如把天下藏在天下里就不会丢失，这便是事物普遍的道理。人们只要接受了人的形体便非常愉快，至于像人的形体的万千变化从来没有尽头，那快乐的情感难道还能数清吗？因此，圣人会生活在各种事物都不曾遗失的环境里，同一切共存亡。以少为善，也以老为善，以始为善，也以终为善，人们都纷纷加以效法，更何况那万物所联系、各种变化所依附的"道"呢！

"道"是真实不虚的，但它又是没有具体形象的；"道"可以感知到却不能说出来，可以领悟却不可以看出来。"道"自身就是本原，就是根基。在出现天地之前的远古时代，"道"就已经存在了：它引出了鬼神和上帝，产生了天地；它在太极之上却并不高远，它在六极之下却并不算很深，它先于天地存在也没有太久，它长于上古还不算老。豨韦氏习得了它，用它来驾驭天地；伏羲氏得到了它，用它来平衡元气；北斗星得到了它，就永远不会改变方向；太阳和月亮得到了它，便永远没有止息地运行；堪坏得到了它，凭借它入主昆仑山；冯夷得到了它，依靠它巡游江河；肩吾得到了它，用它来驻守泰山；黄帝得到了它，凭借它飞上云天；颛顼得到了它，用它来居处玄宫；禺强得到了它，用它来在北极安顿；西王母得到了它，用它来坐镇少广山。没人知道它是怎么开始的，也没人知道它将如何结束。彭祖得到了它，就从远古的有虞时代一直活到五伯时代；傅说得到了它，用它来辅佐武丁，统治整个天下，驾驭东维星，骑上了箕宿和尾宿，与众星相并列。

【原文】

南伯子葵问乎女偊[①]曰："子之年长矣，而色若孺子，何也？"曰："吾闻道矣。"南伯子葵曰："道可得学邪？"曰：

“恶！恶可！子非其人也。夫卜梁倚有圣人之才[2]而无圣人之道，我有圣人之道而无圣人之才，吾欲以教之，庶几其果为圣人乎！不然，以圣人之道告圣人之才，亦易矣。吾犹守而告之，参日而后能外天下；已外天下矣，吾又守之，七日而后能外物；已外物矣，吾又守之，九日而后能外生；已外生矣，而后能朝彻[3]；朝彻，而后能见独[4]；见独，而后能无古今；无古今，而后能入于不死不生。杀[5]生者不死，生生者不生。其为物，无不将也，无不迎也；无不毁也，无不成也，其名为撄[6]宁。撄宁也者，撄而后成者也。”

南伯子葵曰：“子独恶乎闻之？”曰：“闻诸副墨之子，副墨之子闻诸洛诵之孙，洛诵之孙闻之瞻明，瞻明闻之聂许，聂许闻之需役，需役闻之於讴，於讴闻之玄冥，玄冥闻之参寥，参寥闻之疑始。”

【注释】

①南伯子葵、女偊（yǔ）：均为人名。②圣人之才：指明敏、外用的才智。③朝彻：如朝阳初起般明彻，指豁然彻悟。④独：独立不改的大道。⑤杀：灭除，含有摒弃、忘却之意。⑥撄：扰乱。

【译文】

南伯子葵问女偊：“你的岁数已经不小了，你的容颜却像个孩子，这是为什么呢？”女偊回答：“我习得‘道’了。”南伯子葵说：“‘道’能够学来吗？”女偊回答说：“不！不可！你不适合学习‘道’。卜梁倚有圣人聪敏的才气，但没有圣人淡泊的心境，我有圣人淡泊的心境却没有圣人聪敏的才气，我想用淡泊的心境来教导他，也许他真的能成为圣人哪！但是并不是这样的，把圣人淡泊的心境传告给具有聪敏才气的人，应是不难的。我还是坚持着告诉他，三天过后就能遗忘天下；既已遗忘天下，我继续修持诱导，七天之后就能遗忘万物；既已遗忘万物，我继续修持诱导，九天之后就能忘记自己的心性；既已忘记了自己的心性，心就能如朝阳一样清新明亮；能够让心境像朝阳一样清新明亮，此后就能够体会到那独立不改的'道'了；既已感受到了'道'，以后就能超越古今的时空；既能够超越古今的时空，而后便进入无所谓生与死的境界。能够把所有生命都杀死的，它本身当然不会死。能够把所有生命都产生出来的，它本身也不存在诞生的问题。对于万物，'道'什么都不送，也什么都不迎；什么都无视，也什么都无所成就，这就是'撄宁'。撄宁的意思就是尽管万事纷纭烦乱，都不能扰动心地的安宁。"

南伯子葵又问："你自己是如何得'道'的呢？"女偊说："我从文字那里得知的，文字是从言语那里得知的，言语是从目视那里得知的，目视从耳闻那里得知的，耳闻是从践行那里得知的，践行是从吟咏那里得知的，吟咏是从静默那里得知的，静默是从空旷那里得知的，空旷是从近乎本原那里得知的。"

【原文】

子祀、子舆、子犁、子来[①]四人相与语曰："孰能以无为首，以生为脊，以死为尻，孰知死生存亡之一体者，吾与之友矣。"四人相视而笑，莫逆于心，遂相与为友。

俄而子舆有病，子祀往问之。曰："伟哉，夫造物者，将以予为此拘拘也！"曲偻[②]发背，上有五管[③]，颐[④]隐于齐，肩高于顶，句赘[⑤]指天。阴阳之气有沴[⑥]，其心闲而无事，跰𨇤[⑦]而鉴于井，曰："嗟乎！夫造物者又将以予为此拘拘也！"

子祀曰："女恶之乎？"曰："亡，予何恶！浸假而化予之左臂以为鸡，予因以求时夜。浸假而化予之右臂以为弹，予因以求鸮炙。浸假[⑧]而化予之尻以为轮，以神为马，予因以乘之，岂更[⑨]驾哉！且夫得者，时也，失者，顺也；安时而处顺，哀乐不能入也。此古之所谓县[⑩]解也，而不能自解者，物有结之。且夫物不胜天久矣，吾又何恶焉？"

俄而子来有病，喘喘然将死，其妻子环而泣之。子犁往问之，曰："叱！避！无怛[⑪]化！"倚其户与之语曰："伟哉造化！又将奚以汝为，将奚以汝适？以汝为鼠肝乎？以汝为虫臂乎？"

子来曰：“父母于子，东西南北，唯命之从。阴阳于人，不翅[12]于父母。彼近吾死而我不听，我则悍矣，彼何罪焉！夫大块载我以形，劳我以生，佚我以老，息我以死。故善吾生者，乃所以善吾死也。今之大冶铸金，金踊跃曰：‘我且必为镆铘[13]！’大冶必以为不祥之金。今一犯人之形，而曰：‘人耳！人耳！’夫造化者必以为不祥之人。今一以天地为大炉，以造化为大冶，恶乎往而不可哉！”成然寐，蘧然[14]觉。

【注释】

①子祀、子舆、子犁、子来：寓言故事中假托虚构的人名。②曲偻（lóu）：弯腰。③五管：五脏的穴口。④颐：下巴。⑤句赘：颈椎隆起状如赘瘤。⑥沴（lì）：阴阳之气不和而生出的灾害。⑦跰𨇤（pián xiān）：走路蹒跚的样子。⑧浸假：假使。⑨更（gēng）：更换。⑩县（xuán）：通“悬”，悬挂。⑪怛（dá）：惊扰。⑫不翅：不啻，不止，何止。翅，这里讲作“啻”。⑬镆铘：宝剑名。⑭蘧（qú）然：惊喜的样子。

【译文】

子祀、子舆、子犁、子来四个人一起聊天：“谁能够把无当作头，把生当作脊柱，把死当作尾巴，谁能够通晓生死存亡浑然一体的思想，我们就和他交朋友。”四人都会心地相视而笑，心有灵犀却不说话，于是相互交往成了朋友。

不久，子舆生病了，子祀前去看望他。子舆说：“伟大的造物者啊！你把我变成如此弯曲不直的样子！”只见他弯腰驼背，五脏穴口朝天，下巴长在肚脐下，肩部比头颅还高，颈椎弯曲像朝天隆起的赘瘤。阴阳二气不和酿成了如此病害，但是子舆的心里十分悠闲，好像从没生病似的，踉踉跄跄地去井边对着井水看自己，说：“啊呀，造物者竟把我变得如此屈曲不堪！”

子祀说：“你讨厌这副样子吗？”子舆回答：“不，我哪里会讨厌这副样子！假如造物者把我的左臂变成公鸡，我就用它来报晓。假如造物者把我的右臂变成弹弓，我就用它来打鸮鸟烤着吃。假如造物者把我的臀部变成车轮，把我的灵魂变成骏马，我就用来乘坐，难道还需要更换别的车马吗？至于生命的诞生，是因为适时，生命的结束，是因为顺应；安于适时而处之顺应，悲哀和欢乐就不会侵扰情绪。这就是古人所说的化解了倒悬之苦，不过不能解脱的原因，就是被外物所束缚。何况事物的变化不能超越自然的力量是由来已久的，我又为何去厌恶它呢？”

不久之后，子来也病了，气息奄奄快死了，他的妻子儿女围在床前悲伤落泪。子犁前往探望，说：“嘿！走开！不要打扰他由生到死的变化！”子犁靠着门，跟子来说话：“伟大啊，造物者！他又要把你变成什么，把你送到哪里？把你变为老鼠的内脏吗？把你变成蚂蚁的臂膀吗？”

子来说：“孩子对待他们的父母，无论东西南北，孩子都只能听从父母的吩咐。人对于自然的变化，何止像孩子之于父母。它让我靠近死亡而我却不听从，那么我就太无理了，而它又有什么错呢！大地负载我的形体，用生存让我劳苦，用衰老让我闲适，用死亡让我安息。因此可以把我的生当作是好事，也可以把我的死亡当作是好事。现在假如有一个技艺高超的冶炼工匠打造金属器皿，金属熔解后跳起来说‘我一定要成为良剑镆铘’，冶炼工匠一定认为这是不祥的金属。现在人一旦承受了人的形体，便说‘成人了，成人了’，造物者一定也会认为这是不祥之人。如今把整个天地当作大熔炉，把造物者当作技艺精湛的工匠，那么以什么方法来锻造我不可以呢？”于是熟睡过去，不一会儿又恬然醒来。

【原文】

子桑户、孟子反、子琴张[①]三人相与友，曰：“孰能相与于无相与，相为于无相为？孰能登天游雾，挠挑无极，相忘以生，无所终穷？”三人相视而笑，莫逆于心，遂相与为友。

莫然有间，而子桑户死，未葬。孔子闻之，使子贡往侍事焉。或编曲，或鼓琴，相和而歌曰：“嗟来桑户乎！嗟来桑户乎！而已反其真，而我犹为人猗！”子贡趋而进曰：“敢问临尸而歌，礼乎？”二人相视而笑曰：“是恶知礼意！”

子贡反，以告孔子，曰："彼何人者邪？修行无有，而外其形骸，临尸而歌；颜色不变，无以命之。彼何人者邪？"

孔子曰："彼，游方之外者也；而丘，游方之内者也。外内不相及，而丘使女往吊之，丘则陋矣。彼方且与造物者为人，而游乎天地之一气。彼以生为附赘县疣，以死为决疣[②]溃痈[③]，夫若然者，又恶知死生先后之所在！假于异物，托于同体；忘其肝胆，遗其耳目；反复终始，不知端倪；芒然彷徨乎尘垢之外，逍遥乎无为之业。彼又恶能愦愦然[④]为世俗之礼，以观众人之耳目哉！"

子贡曰："然则夫子何方之依？"孔子曰："丘，天之戮民也。虽然，吾与汝共之。"子贡曰："敢问其方。"孔子曰："鱼相造乎水，人相造乎道。相造乎水者，穿池而养给；相造乎道者，无事而生[⑤]定。故曰，鱼相忘乎江湖，人相忘乎道术。"子贡曰："敢问畸人[⑥]。"曰："畸人者，畸于人而侔[⑦]于天，故曰，天之小人，人之君子；人之君子，天之小人也。"

【注释】

①子桑户、孟子反、子琴张：庄子假托的人名。②疣（huàn）：皮肤上的肿包。③痈（yōng）：毒疮。④愦（kuì）愦然：烦乱的样子。⑤生：通"性"，"生定"即性情平静安适。⑥畸人：即奇异的人，这里指不合于世俗的人。⑦侔（móu）：齐同。

【译文】

子桑户、孟子反、子琴张三人在一起清谈，说："谁能够相互交往，却看起来像没有交往一样，相互帮助却像没有帮助一样？谁能登上天空遨游雾中，循环上升到无穷无尽的太空，互相把生命忘却，并且永远没有尽头？"三人相视而笑，心灵相通，于是结为好友。

不久，子桑户死了，还没有入土。孔子听说了，派弟子子贡去帮助料理丧事。孟子反和子琴张却一个在作曲，一个在弹琴，相互应和着高歌："哎呀，子桑户啊！哎呀，子桑户啊！你已经回归本真，可是我们还活着呀！"子贡听了快步走到他们跟前，说："我冒昧地问一下，对着尸体唱歌，这合乎礼节吗？”二人相视一笑，说道：“你这种人怎么会懂得礼的真正含义呢！”

子贡回去把见到的情况讲给孔子，说：“他们都是些什么人啊？不看重德行修养而没有礼仪，把自身置之于外，对着尸体竟然还能唱歌，神色一点也不改变，对他们真是不知道说什么好。他们究竟是些什么人啊？”

孔子说：“他们都是些逍遥世外的人，而我却是生活在世俗中的人。人世之外与人世之内互不干涉，我却派你前去吊唁，我真是鄙陋呀！他们正跟造物者结为伴侣，而逍遥于天地一体的元气之中。他们把生命视为赘瘤一样多余，他们把死亡看作毒痈化脓后的破裂，这种人又怎么会知道死生先后的存在！依靠各种不同的物类，但最后寄寓于同一的整体；忘掉了身体里的肝胆，也忘掉了身体外的耳目；无限循环着终结和开始，却从不知道它们的头绪；茫茫然徜徉在人世之外，自如自在地生活在无所作为的境界中。他们又怎么会烦扰地遵循世俗的礼仪，来让众人听闻观看呢！”

子贡说：“原来如此，那么先生要遵循什么原则呢？”孔子说：“我孔丘，乃是受苍天惩罚的罪人。即便这样，我仍会与你们一同去努力追寻至高无上的‘道’。子贡问：“请问如何追寻‘道’。”孔子回答：“鱼竞相投入水中，人竞相探求大道。竞相入水的鱼，在地上挖一座水池便给养充裕；竞相求道的人，淡漠无所作为便静心平气。所以说，鱼相忘在江湖里，人相忘在大道中。”子贡说：“再冒昧地向您请教‘畸人’的问题。”孔子回答：“所谓‘畸人’，就是不同凡俗但顺乎自然的人。因此说，自然中的小人就是人世间的君子，人世间的君子中就是自然中的小人。”

【原文】

颜回问仲尼曰：“孟孙才[1]，其母死，哭泣无涕，中心不戚，居丧不哀。无是三者，以善处丧盖鲁国。固有无其实而得其名者乎？回壹怪之。”

仲尼曰：“夫孟孙氏尽之矣，进于知矣。唯简之而不得，夫已有所简矣。孟孙氏不知所以生，不知所以死；不知就[②]先，不知就后；若化为物，以待其所不知之化已乎！且方将化，恶知不化哉？方将不化，恶知已化哉？吾特与汝，其梦未始觉者邪！且彼有骇形[③]而无损心，有旦宅[④]而无情死。孟孙氏特觉，人哭亦哭，是自其所以乃[⑤]。且也相与吾之耳矣，庸讵知吾所谓吾之乎？且汝梦为鸟而厉乎天，梦为鱼而没于渊。不识今之言者，其觉者乎，其梦者乎？造适不及笑，献笑不及排，安排而去化，乃入于寥天一。”

【注释】

①孟孙才：人名，复姓孟孙。②就：趋近，追求。③骇形：指人死之后形体必有惊人的改变。④旦宅：通“怛咤”，惊惧的样子。⑤乃：如此。

【译文】

颜回问孔子说：“孟孙才这人，他母亲死了，他哭泣却没有眼泪，心中没有悲伤，居丧时也并不哀痛。在这三个方面毫无悲哀的表现，却因善于处理丧事而闻名鲁国。难道真有名不副实的情况吗？我真是觉得奇怪。”

孔子说：“孟孙才处理丧事的方式的确是尽善尽美了，超越了懂得丧葬礼仪的人。人们希望简化丧礼却总是做不到，而孟孙才已经做到了。孟孙才不追究人为何而生，也不去探寻人因何而死；不知道趋近生，也不知道靠拢死；他顺乎自然的变化，成为他应该成为的东西，以等待那些自己所无法预料的变化，何况即将发生变化，如何预料不变化呢？即将不再有变化，又如何知道已经有了变化呢！只有我和你呀，才是做梦一样毫无觉醒的人呢！那些死去的人惊扰了自己的身体却无损于他们的灵魂，就像灵魂的寓所朝夕变化却并不是精神的真正消亡。唯有孟孙才有觉悟，人们哭他也跟着哭，这就是他这样居丧的原因。何况人们交往常常借助形体而称述自我，又如何判定我所称述的躯体一定就是我呢？并且你梦中变成鸟就飞上蓝天，你梦中变成鱼就潜入水底。不知道现在我们说话的人，算是清醒的呢，还是在做梦呢？心境愉悦却来不及笑出来，表达快意发出笑声却来不及消解，安顺自然的更替而且忘却死亡的变化，便进入寂寥虚空的天道，并与它浑然一体了。”

【原文】

意而子[1]见许由。许由曰：“尧何以资汝？”意而子曰：“尧谓我：‘汝必躬服仁义而明言是非’。”许由曰：“而奚来为轵？夫尧既已黥[2]汝以仁义，而劓[3]汝以是非矣，汝将何以游夫遥荡恣睢转徙之涂乎？”意而子曰：“虽然，吾愿游于其藩。”

许由曰：“不然。夫盲者无以与乎眉目颜色之好，瞽[4]者无以与乎青黄黼黻[5]之观。”意而子曰：“夫无庄之失其美，据梁之失其力，黄帝之亡其知，皆在炉捶之间耳。庸讵知夫造物者之不息我黥而补我劓，使我乘成以随先生邪？”

许由曰：“噫！未可知也。我为汝言其大略。吾师乎！吾师乎！整[6]万物而不为义，泽及万世而不为仁，长于上古而不为老，覆载天地、刻雕众形而不为巧，此所游已。”

【注释】

①意而子：虚拟的人名。②黥（qíng）：古代用刀刺刻在犯人的额颊等处，再涂上墨的一种刑罚。③劓（yì）：古代割鼻的一种刑罚。④瞽（gǔ）：眼盲。⑤黼黻（fǔ fú）：古代礼服上绣的花纹。⑥整（jī）：调和。

【译文】

意而子拜望许由。许由说：“尧给你传授了什么？”意而子说：“尧告诉我说：‘你必须亲身践行仁义并准确地阐明是非。’”许由说：“那你为何还要来我这里呢？尧已经把‘仁义’刻在你的额上，又用‘是非’把你的鼻子割下来了，你还能凭借什么游荡在逍遥不羁、放浪形骸、辗转多变的境界呢？”意而子说：“即使如此，我还是希望能游处于这样的境域。”

许由说：“不是这样。盲人不能与他一起欣赏眉目容颜的清秀，瞎子没法和他一起赏鉴礼服花纹的华丽。”意而子说：“无庄不再打扮自己，而忘掉了自己的美丽；据梁不再逞能，而忘掉自己的勇武；黄帝听说'道'以后，就放弃了自己的智慧。他们都因为经历了'道'的锻造才这样做。如何知道那造物主不会安抚我受黥刑的创伤，弥补我受劓刑的鼻子，使我能够保全身躯而跟随先生呢？"

许由说："唉！这可是没办法预料的。不过我还是跟你说个大概情况吧。'道'乃是我伟大的宗师啊！我伟大的宗师啊！调和万物不是为了某种道义，泽被万世也不是出于仁义，生活于上古并不算老，包容天地、雕刻万物也不算是技艺。这就进入'道'的境界了。"

【原文】

颜回曰："回益矣。"仲尼曰："何谓也？"曰：回忘仁义矣。"曰："可矣，犹未也。"他日复见，曰："回益矣。"曰："何谓也？"曰："回忘礼乐矣。"曰："可矣，犹未也。"他日复见，曰："回益矣。"曰："何谓也？"曰："回坐忘①矣。"仲尼蹴然②曰："何谓坐忘？"颜回曰："堕肢体，黜聪明，离形去知，同于大通，此谓坐忘。"仲尼曰："同则无好也，化则无常也，而果其贤乎！丘也请从而后也。"

【注释】

①坐忘：端坐静心而物我两忘。②蹴（cù）然：惊奇不安的样子。

【译文】

颜回说："我有进步了。"孔子问："你的进步是指什么？"颜回说："我已经忘记仁义了。"孔子说："好呀，但是还不够。"几天后，颜回又去拜见孔子，说："我又有进步了。"孔子问："你的进步是指什么？"颜回说："我忘记礼乐了。"孔子说："好呀，但是还不够。"过了几天，颜回又去拜见孔子，说："我又有进步了。"孔子问："你的进步是指什么？"颜回说："我'坐忘'了。"孔子惊诧不安地问道："什么叫'坐忘'？"颜回答道："废弃了强壮的身体，退化了敏锐的听觉和清晰的视力，离开了身躯并放下了智慧，从而与大道浑然一体，这就叫'坐忘'。"孔子说："与万物同一就不会偏执了，顺应变化就不会拘泥定理了。你的确成了贤人啊！我身为老师也希望能追随于你。"

【原文】

子舆与子桑友，而霖雨[①]十日。子舆曰："子桑殆[②]病矣！"裹饭而往食之。至子桑之门，则若歌若哭，鼓琴曰："父邪？母邪？天乎？人乎？"有不任其声而趋举其诗焉。

子舆入，曰："子之歌诗，何故若是？"曰："吾思夫使我至此极者而弗得也。父母岂欲吾贫哉？天无私覆，地无私载，天地岂私贫我哉？求其为之者而不得也。然而至此极[③]者，命也夫！"

【注释】

①霖雨：连绵不断地下雨。霖，阴雨三日以上。②殆：恐怕，大概。③极：绝境。

【译文】

子舆和子桑是好友，有一回，连绵不断的雨下了十日，子舆说："子桑大概已经因困乏而饿倒了。"他便包着食物前去给他吃。来到子桑家门口，就听见子桑似乎在唱歌，又似乎在哭泣，而且还弹着琴："是父亲，还是母亲呢？是天，还是人呢？"声音微弱但情不自禁地表达，急促地倾诉着歌词。

子舆进屋说："你为什么唱这样的诗歌呢？"子桑回答说："我在寻找让我变得这么困乏和窘迫的人，但是没有找到。难道父母会希望我贫困吗？苍天不偏不倚地笼罩着整个大地，大地不偏不倚地负载着所有生灵，难道天地会唯独让我贫困吗？寻找使我贫困的东西可是我没能找到。但是已经达到这般绝境，这是天命啊！"

应帝王

【题解】

本篇是《庄子》内篇中的最后一篇，它表现了庄子的政治思想。庄子对宇宙万物的认识都来源于“道”，他认为整个宇宙万物都是浑然同一的，所以根本就没有什么分别和不同；所有的一切变化也都来源于自然万物，人为的因素都是表面的、多余存在的。在此基础上，庄子的政治主张就是用不治代替治，无为而治是本篇的中心思想。什么样的人才“应”成为“帝王”呢？那就是能够顺其自然，依照民心而行不言之教的人。

【原文】

啮缺问于王倪①，四问而四不知。啮缺因跃而大喜，行以告蒲衣子②。

蒲衣子曰：“而乃今知之乎？有虞氏不及泰氏③。有虞氏，其犹藏仁以要④人，亦得人矣，而未始出于非人⑤。泰氏，其卧徐徐，其觉于于，一以己为马，一以己为牛；其知情信，其德甚真，而未始入于非人。”

【注释】

①啮（niè）缺、王倪：人名。②蒲衣子：人名，传说中的古代贤人。③有虞氏：即虞舜。泰氏：旧注指太昊（hào），即伏羲氏。④要（yāo）：交结，这里含有笼络的意思。⑤非人：这里似指物我之分两忘。

【译文】

啮缺向王倪请教问题，问了四次，王倪都不能回答。啮缺便一跃而起，非常高兴，去蒲衣子那儿把情况讲给他。

蒲衣子说：“你现在知道了吧？虞舜不如伏羲。虞舜为笼络人心而布施仁义，虽然得到了百姓的拥戴，但他还是没有超越物我两分的困境。伏羲睡卧时呼吸舒缓，睡醒时安闲自如，任凭别人把他看作牛马。他的才智毫无伪饰，他的品德纯粹可信，并且从来不曾受到外物的牵累。”

【原文】

肩吾见狂接舆①。狂接舆曰：“日中始②何以语女？”

肩吾曰：“告我，君人者以己出经式义度[3]，人孰敢不听而化诸[4]？”

狂接舆曰：“是欺德[5]也。其于治天下也，犹涉海凿河而使蚊负山也。夫圣人之治也，治外[6]乎？正而后行[7]，确乎能其事者而已矣。且鸟高飞以避矰弋[8]之害，鼷鼠[9]深穴乎神丘之下以避熏凿之患，而曾二虫之无知！”

【注释】

①接舆：楚国隐士陆通的字。②日中始：庄子假托的又一寓言人物，为肩吾的老师。一说其人当为“中始”，“日”是一时间词，往昔的意思。③以己出：用自己的意志来推行。义：仪，法。“经式”“义度”在这里都指法度。④化诸：随之变化。⑤欺德：欺诳的做法。⑥治外：治理外表。庄子认为推行法度，只能治理社会的外在表象。⑦正：指顺应本性。行：指推行教化。⑧矰（zēng）：系有丝绳用来弋射的短箭。弋（yì）：用丝绳系在箭上射飞鸟。⑨鼷（xī）鼠：小鼠。

【译文】

肩吾拜见隐士接舆。接舆说：“你的老师日中始都教给了你什么？”肩吾说：“他告诉我，国君一定要凭自己的意愿来制定法度，人们谁敢不听从归顺呢？”

接舆说：“这是欺骗的手段。如果那样治理，就像到大海里开凿河道，就像让蚊子肩负大山一样。圣人治理天下，难道只是关心社会的表面现象吗？他们先端正自己，而后感化别人，任凭人们各尽其才罢了。鸟儿还知道高飞来躲开弓箭的伤害，老鼠也懂得藏进神坛下的洞中逃避熏烟凿地的祸患，人难道连这两种动物也不如吗？”

【原文】

天根游于殷阳[1]，至蓼水[2]之上，适遭[3]无名人而问焉，曰：“请问为[4]天下。”无名人曰：“去[5]！汝鄙人也，何问之不豫[6]也！予方将与造物者为人[7]，厌，则又乘夫莽眇之鸟[8]，以出六极之外，而游无何有之乡[9]，以处圹埌[10]之野。汝又何帠[11]以治天下感予之心为？”又复问。无名人曰：“汝游心于淡，合气于漠，顺物自然而无容私焉，而天下治矣。”

【注释】

①天根：虚构的人名。殷阳：殷山的南面。殷，山名。②蓼（liǎo）水：水名。③遭：逢，遇上。④为：治理。⑤去：离开、走开，这里有呵斥、不屑多言之意。⑥豫：悦，愉快。⑦为人：结为伴侣。人，偶。⑧莽眇之鸟：状如飞鸟的清虚之气。⑨无何有之乡：什么都不存在的地方。⑩圹（kuàng）埌（làng）：无边无际的样子。⑪帠（yì）：相当于“呓”，说梦话。

【译文】

天根到殷山的南面闲游，去了蓼水河畔，恰好遇到无名人，便向他请教：“请问您如何治理天下？”无名人说：“走开，你这个浅薄无知的人，怎么问这么惹人不快的问题！我正要和造物主结为同伴，厌倦的时候就坐上那飞鸟一样的清虚之气，脱离到‘六极’以外的地方，生活在空虚之乡，居住在无边的旷野之上，你怎么能用梦话一样治理天下的问题来影响我的心绪呢？”天根再次提问。无名人说：“你应该保持内心虚静，气息平和，顺乎万物的本性，不带有一点私念，天下就能得到大治了。”

【原文】

阳子居①见老聃，曰：“有人于此，向疾强梁②，物彻疏明③，学道不倦。如是者，可比明王乎？”老聃曰：“是于圣人也，胥易技系④，劳形怵心⑤者也。且也虎豹之文⑥来田，猨狙之便执斄之狗来藉⑦。如是者，可比明王乎？”阳子居蹴然曰：“敢问明王之治。”老聃曰：“明王之治，功盖天下而似不自己，化贷万物而民弗恃；有莫举名，使物自喜；立乎不测，而游于无有者也。”

【注释】

①阳子居：旧注指阳朱，战国时代倡导为我主义的哲学家。②向疾：像回声那样迅疾敏捷。向，通作“响”，回声。强梁：强干果决。这一句是说遇事果决，行动极快。③彻：洞彻。疏明：通达明敏。④胥（xǔ）：通“谞”，智慧，这里指具有一定才智的小官吏。易：改，这里指供职办事。系：系累。⑤怵（chù）心：心里感到恐惧、害怕。⑥文：纹，这里指具有纹饰的皮毛。⑦猨（yuán）狙（jū）：猕

猴。便：便捷。㹠（lí）：狐狸。藉：用绳索拘系。

【译文】

阳子居去拜望老聃，说道："有这么个人，他做事雷厉风行，果断坚决，能洞察万物，潜心学道，毫不松弛。这种人能与圣明的君王相比吗？老聃说："这种人在圣人看来，不过就是有小聪明的官吏在供职时，被技艺所困，整天担惊受怕的状态罢了。何况虎豹由于皮毛美丽而招惹猎人猎捕，猕猴由于跳跃敏捷、小狗由于动作迅猛而导致被绳索拘束。像这类动物，也可以和圣明的君王相比吗？"阳子居立刻变了脸色，心神不安地说："冒昧地问您一下，圣明的君主是如何治理国家的呢？"老聃说："他们治理国家，能功成名就但看起来没怎么卖力气；教化百姓，培育万物，又好像不用依靠什么；他们的无量功德没有什么言辞能表达赞美，他们让世间万物各得其所，欣然有序。他们立足于高深的境界，而生活在一片虚空的世界里。"

【原文】

郑有神巫曰季咸，知人之死生存亡、祸福寿夭，期以岁月旬日，若神。郑人见之，皆弃而走。列子[①]见之而心醉，归，以告壶子，曰："始吾以夫子之道为至矣，则又有至焉者矣。"壶子曰："吾与汝既其文，未既其实，而固得道与？众雌而无雄，而又奚卵焉！而以道与世亢，必信，夫故使人得而相汝。尝试与来，以予示之。"

明日，列子与之见壶子。出而谓列子曰："嘻！子之先生死矣，弗活矣，不以旬数矣！吾见怪焉，见湿灰[②]焉。"列子入，泣涕沾襟，以告壶子。壶子曰：乡吾示之以地文，萌乎不震不正。是殆见吾杜德机也。尝又与来。"

明日，又与之见壶子。出而谓列子曰："幸矣，子之先生遇我也，有瘳矣，全然有生矣，吾见其杜权矣！"列子入，以告壶子。壶子曰："乡吾示之以天壤，名实不入，而机发于踵。是殆见吾善者机也。尝又与来。"

明日，又与之见壶子。出而谓列子曰：“子之先生不齐，吾无得而相焉。试齐，且复相之。”列子入，以告壶子。壶子曰：“乡吾示之以太冲莫胜。是殆见吾衡气机③也。鲵桓之审④为渊，止水之审为渊，流水之审为渊。渊有九名，此处三焉。尝又与来。”

明日，又与之见壶子。立未定，自失而走。壶子曰：“追之！”列子追之不及，反，以报壶子曰：“已灭矣，已失矣，吾弗及已。”壶子曰：“乡吾示之以未始出吾宗。吾与之虚而委蛇⑤，不知其谁何，因以为弟靡，因以为波流，故逃也。”

然后列子自以为未始学而归，三年不出。为其妻爨，食豕如食人。于事无与亲，雕琢复朴，块然⑥独以其形立。纷而封哉，一以是终。

【注释】

①列子：即列御寇，郑国人。下句中的壶子，传说是列子的老师。②湿灰：形容了无生气。死灰犹可复燃，而水湿之灰已无复燃之可能，喻指必死无疑。③衡气机：指内气持平，应称生机，浑然凝一。衡，平。④鲵（ní）：鲸鱼，这里泛指大鱼。桓：盘桓。审：水回流而聚积的地方。一说“审”即“瀋”字，水深的意思。⑤委蛇（yí）：顺应自然的样子。⑥块然：像土块那样，即无知无识。

【译文】

郑国有个很会占卜的巫师，叫季咸，他能预知人的生死祸福，他所预测的日期，大到年月，小到时辰都能准确应验，像是神人一般。郑国人看见他，都害怕被预卜死亡和凶祸，因而避之不及。仅有列子看到他时，心生佩服，如痴如醉。他回去之后把情况讲给老师壶子，又说：“最初我以为先生的修行最高深莫测，看来还有更高深的。”壶子说：“我教给你的还只是表面的东西，还没教给你道的本质学问，难道你已经掌握了吗？只有大量的雌性却没有雄性，怎么会生出卵呢！你只用道学的皮毛去跟世人相比，而且一心想得到他人的信赖，所以让人了解实情而为你占卜。你和他一块儿来吧，让他给我卜一卜吧。”

次日，列子带季咸去拜访壶子。季咸一出来就对列子说：“哎呀，你的老师快不行了，活不久了，也就十几天的光景！我看到他奇怪的神情，就像湿灰一般。”列子回到屋子里，泪湿衣衫，悲伤地告诉老师。壶子说：“刚才我故意在他面前表现出像大地一样寂静不动的状态，当然没有生气。这样他就只能看到我的闭塞。让他再来看看。”

次日，列子又带季咸去拜访壶子。季咸一出来就说：“幸好你的老师遇见了我，他昨天的晦气减轻了，一定有救，我已经察觉到了微微涌动的神气。”列子回去又把这话讲给壶子。壶子说：“刚才我是把天地呼应相对的心态展示给他，所有关于名利的杂念都一并排开，生气从脚到头弥散开来。他大概看出了一丝活力。再让他来看看。”

次日，列子又带季咸去拜访壶子。季咸一出来就说：“你的老师心虚不定，神情恍惚，我不能给他看了。等他心境平稳了，我再看看。”列子回去又把这话讲给壶子。壶子说：“刚刚我给他展示的是阴阳二气和谐相融的心态。他大概看出了我内心平衡。鱼沉潜的地方叫深渊，静水汇集的地方叫深渊，流动的水停留的地方也叫深渊。深渊有多种称谓，我给他看的只有三种。再让他试着来看看。”

次日，列子又带季咸去拜访壶子。季咸还没站稳脚跟就跑了。壶子对列子说：“快追上他！”但列子没追上，回来说：“不见影子了，已经跑了，我追不上。”壶子说：“最初我展现出来的始终没有脱离我的本质。我任意应付他，让他摸不着头脑，就像草随秋风，水波逐流，他便跑开了。”

此后，列子才知道自己好像没学到什么东西。他回到家里，三年都没有出门。他为妻子生火煮饭，养猪也像对待人一样，对所有事情都不分远近亲疏，曾经那些铅华浮躁都回归简单的本质了，像大地一样不偏不倚地生活在世上。虽然身处纷纷扰扰的尘世，也能一直保持纯粹的本心，并且终生不渝。

【原文】

无为名尸[①]，无为谋府[②]；无为事任[③]，无为知主。体[④]尽无穷，而游无朕[⑤]；尽其所受乎天，而无见[⑥]得，亦虚[⑦]而已。至人之用心若镜，不将[⑧]不迎，应而不藏，故能胜物[⑨]而不伤。

【注释】

①尸：主，引申指寄托的场所。②谋府：出谋划策的地方。③任：负担。④体：体验、体会，这里指潜心学道。⑤朕：迹。⑥见（xiàn）：表露，这个意义后代写作“现”。⑦虚：指心境清虚淡泊，忘却自我。⑧将：送。⑨胜物：指足以反映事物。

【译文】

不要把自己变成名望的寄托，也不要让自己变为盛装计谋的锦囊；不要成为人世的累赘，也不要成为聪慧的主人。专心体会本质并且从不休止，无拘无束地嬉戏不留任何痕迹；任凭它秉承自然，从不张扬也从不自得，于是淡泊宁静，无欲无求。“至人”的心境就像一面镜子，对待外物，不送不迎，顺应着事物本性，从来不隐藏什么，因此能够反映外界事物但又不会为之劳神劳心。

【原文】

南海之帝为儵，北海之帝为忽，中央之帝为浑沌[①]。儵与忽时相与遇于浑沌之地，浑沌待之甚善。儵与忽谋报浑沌之德，曰：“人皆有七窍[②]以视听食息，此独无有，尝试凿之。”日凿一窍，七日而浑沌死。

【注释】

①儵（shū）、忽、浑沌：都是虚拟的名字，但用字也有寓意。“儵”和“忽”指急匆匆的样子，“浑沌”指聚合不分的样子，一指人为的，一指自然的，因此“儵”“忽”寓指有为，而“浑沌”寓指无为。②七窍：人体头部的七个孔穴，即两眼、两耳、两鼻孔和嘴。

【译文】

南海的君王名为儵，北海的君王名为忽，他们中间的君王名为浑沌。倏与忽时常相聚在浑沌所在的地方，享受浑沌丰盛的款待。倏和忽一同商议回报浑沌："人人都有眼、耳、口、鼻等七个窍孔，得以看、听、饮食和呼吸。唯独浑沌没有，我们帮他打出七窍来吧。"于是，他们每天凿出一个洞孔，到了第七天，浑沌便去世了。

外篇

骈拇

【题解】

“骈拇”指并合的脚趾，与旁出的歧指和附着的赘瘤一样，都是人体上多余的东西。什么才是事物所固有的呢？那就是合乎自然，顺应人情的东西。倡导听任自然、顺应人情的思想，就是本篇的中心。

【原文】

骈拇①枝指出乎性哉，而侈②于德。附赘县疣，出乎形哉，而侈于性。多方乎仁义而用之者，列于五藏哉，而非道德之正也。是故骈于足者，连无用之肉也；枝于手者，树无用之指也；多方骈枝于五藏之情者，淫僻于仁义之行，而多方于聪明之用也。

是故骈于明者，乱五色，淫文章，青黄黼黻之煌煌③非乎？而离朱是已。多于聪者，乱五声，淫六律，金、石、丝、竹、黄钟、大吕之声非乎？而师旷是已。枝于仁者，擢④德塞性以收名声，使天下簧鼓以奉不及之法非乎？而曾史是已。骈于辩者，累瓦、结绳、窜句，游心于坚白同异之间，而敝跬⑤誉无用之言非乎？而杨墨是已。故此皆多骈旁枝之道，非天下之至正也。

【注释】

①骈拇：指脚的大拇指与二拇指连在一起。②侈：多余。③煌煌：光辉眩目的样子。④擢（zhuó）：拔。⑤敝跬（kuǐ）：费力疲惫的样子。

【译文】

连生的脚趾和歧生的手指是天生的，对常人来说却是多余的。附着于人体的赘瘤是出自人的形体的，对于天生的本体却是多余的东西。用很多方法推举仁义，并配之以五脏，却不是无所偏执的中正之道。所以，脚上双趾长在一起，只是连缀起无用的肉；手上多出一根手指，只是长了无用的手指；各种旁出的事物对于人天生的品性和欲念来说，就像胡乱地推行仁义，真是多方面滥用聪明。

对于过分明察的视力，难道不像搅乱五色、绣制出青黄相间的华丽服饰而炫人眼目吗？而离朱就是这样的。对于过分灵敏的听觉，难道不像搅乱五音、混淆六律，搅浑了金、石、丝、竹、黄钟、大吕的各种音调吗？而师旷就是这样的。超出自身的“多余”对于倡导仁义的人来说，难道不是闭塞真性用以捞取名利，而使天下的人们争相信守不可能做到的礼法吗？而曾参和史鳅就是这样的。超出本体的“多余”对于善于言辞的人来说，难道不是堆砌辞藻，将心思用在“坚白”之论中，而疲惫地罗列着无数废话去追求名利吗？而杨朱和墨翟就是这样的。所以说这些都是多余无用的，不是天下的真理和正道。

【原文】

彼正正者，不失其性命之情①。故合者不为骈，而枝者不为跂；长者不为有余，短者不为不足。是故凫胫虽短，续之则忧；鹤胫虽长，断之则悲。故性长非所断，性短非所续，无所去忧也。意仁义其非人情乎？彼仁人何其多忧也？

且夫骈于拇者，决②之则泣；枝于手者，龁③之则啼。二者，或有余于数，或不足于数，其于忧一也。今世之仁人，蒿④目而忧世之患；不仁之人，决性命之情而饕贵富。故意仁义其非人情乎？自三代以下者，天下何其嚣嚣也？

且夫待钩绳规矩而正者，是削其性者也，待绳约⑤胶漆而固者，是侵其德者也；屈折礼乐，呴俞仁义，以慰天下之心者，此失其常然也，天下有常然。常然者，曲者不以钩，直者不以绳，圆者不以规，方者不以矩，附离不以胶漆，约束不以纆⑥索。故天下诱然皆生而不知其所以生，同焉皆得而不知其所以得。故古今不二，不可亏也，则仁义又奚连连如胶漆纆索而游乎道德之间为哉？使天下惑也！

【注释】

①情：实。②决：剔开。③龁（hé）：咬。④蒿（hāo）：愁苦的样子。⑤约：绳子。⑥缧（mò）：绳索。

【译文】

这就至正的道理，这就是不违反万物的规律。所以说不存在并生和多余，长的不算是有余，短的不算是不足。所以，野鸭的腿虽然很短，续长一节就会有忧患；鹤的腿虽然很长，但截去一段就会痛苦。所以天性是长的，就不能截短；天性是短的，就不能续长，这样就没有什么忧愁，所以无须抛弃。噫！仁义恐怕不是人所固有的情谊吧？那些倡导仁义的人怎么会有那么多忧患呢？

何况分开他的脚趾，他会哭泣；咬去他的手指，他也会哀啼。以上的情况，有的手指多，有的脚趾少，而导致的结果是一样的。世上的仁人，放眼于人间的祸患；那些不仁的人，摒弃人的本真和自然而贪求富贵。仁义恐怕不是人所固有的真情吧？而从夏、商、周三代以来，天下又怎么会那么纷扰呢？

何况依靠曲尺、墨线、圆规、角尺而端正事物形态的，是损伤事物；用绳索固定事物，是违背自然的道理；用礼乐对人民生硬调整，运用仁义对人民加以教化，从而抚慰民心，这会失去做人的常态。万物都有自己的常态。所谓的常态，就是弯曲不用曲尺，笔直不用墨线，正圆不用圆规，端方不用角尺，让事物固定在一起却不用胶漆。于是，万物都不知道自己为什么生，同样都不知道自己为什么有所得。所以古今道理并没有两样，不可能出现亏缺。那么仁义又为什么无休无止地夹在天道和本性之间呢？这就是让天下人感到迷惑啊！

【原文】

夫小惑易方[①]，大惑易性。何以知其然邪？自虞氏招仁义以挠天下也，天下莫不奔命于仁义，是非以仁义易其性与？故尝试论之，自三代以下者，天下莫不以物易其性矣。小人则以身殉利，士则以身殉名，大夫则以身殉家，圣人则以身殉天下。故此数子者，事业不同，名声异号，其于伤性以身为殉，一也。臧与谷，二人相与牧羊而俱亡其羊。问臧奚事，则挟筴[2]读书；问谷奚事，则博塞以游。二人者，事业不同，其于亡羊均也。伯夷死名于首阳之下，盗跖死利于东陵之上。二人者，所死不同，其于残生伤性均也，奚必伯夷之是而盗跖之非乎！天下尽殉也。彼其所殉仁义也，则俗谓之君子；其所殉货财也，则俗谓之小人。其殉一也，则有君子焉，有小人焉；若其残生损性，则盗跖亦伯夷已，又恶取[3]君子小人于其间哉！

【注释】

①易方：迷失方向。易，变换，颠倒。②筴：通“策”，古代书简。③取：分别。

【译文】

小的迷惑会让人失去方向，大的迷惑会让人失去本性。如何知道是这样的？虞舜拿仁义为号召会搅乱天下，天下的人都是在为仁义奔走，这岂不是用仁义来改变人原本的真性吗？现在我们来讨论一下这个问题。夏、商、周三代以来，天下的人都借助于外物而改变自身。百姓为私利而牺牲，士人为名声而牺牲，大夫为家族而牺牲，圣人为天下牺牲。所以这四种人，从事的事业不同，各有各的称谓，而他们都牺牲性命去做伤害本性的事，这是一样的。臧和谷两个家奴一起放羊，羊却跑了。问臧在做什么，说是在读书；问谷在做什么，说是在玩投骰子。这两个人做着不同的事情但羊都丢了。伯夷为了贤名牺牲在首阳山下，盗跖为了自己的利益死在东陵山上，两个人死因不同，但做的损人利己的事是一样的。为什么一定要赞扬伯夷而指责盗跖呢！所有人都在为某种目的而活着。那些为了仁义而牺牲的，就称他为君子；那些为钱财而死的，就称他为小人。他们同样是为了某种目的而死，但有的称为君子，有的叫作小人。如果就伤害本性而言，那么盗跖也就是伯夷了，又怎么区分君子和小人呢！

【原文】

且夫属[1]其性乎仁义者，虽通[2]如曾史，非吾所谓臧[3]也；

属其性于五味，虽通如俞儿，非吾所谓臧也；属其性乎五声，虽通如师旷，非吾所谓聪也；属其性乎五色，虽通如离朱，非吾所谓明也。吾所谓臧者，非仁义之谓也，臧于其德而已矣；吾所谓臧者，非所谓仁义之谓也，任其性命之情④而已矣；吾所谓聪者，非谓其闻彼也，自闻而已矣；吾所谓明者，非谓其见彼也，自见而已矣。夫不自见而见彼，不自得而得彼者，是得人之得而不自得其得者也，适⑤人之适而不自适其适者也。夫适人之适而不自适其适，虽盗跖与伯夷，是同为淫僻也。余愧乎道德，是以上不敢为仁义之操，而下不敢为淫僻之行也。

【注释】

①属：从属。②通：精通。③臧：善，好。④性命之情：自然本性。⑤适：安适。

【译文】

改变本性而从属仁义的人，即使如同曾参和史鳍那样精通，那也不是我所认为的完美；把自己的本性与五味相连，即使像俞儿那样精通，也不是我所认为的完美；把自己的本性和五声相连，即使像师旷那样通晓音律，也不是我所认为的聪明；把自己的本性与五色相连，即使像离朱那样通晓色彩，也不是我所认为的敏锐。我所说的完美，不是仁义之类的东西，而是比各有所得更好的而已。我所说的完善，不是所谓的仁义，而是保持真情而已。我所说的聪明，不是指听到别人的事情，而是指能够省察自己而已。我所说的敏锐，不是指能看见别人的事情，而是指能够看清自己而已。不能看清自己而只能看清别人，不自我满足而只羡慕别人，这就是求别人之所得而不能安于自己所应得的人，适于别人的安适而不自求安适的人。适于别人的安适而不自求安适，无论盗跖与伯夷，都是过分和偏执的。我在道德上自感惭愧，所以不能奉行仁义的节操，也不敢做过分和偏执的事。

马蹄

【题解】

本篇表现了庄子反对束缚，提倡一切返归自然的政治主张。

在庄子的眼里，当世社会的纷争动乱都源于所谓圣人的“治”，所以他主张摒弃仁义和礼乐，取消一切束缚和羁绊，让社会和事物都回到它的自然和本性上去。文章对于仁义礼乐的虚伪揭露得十分深刻。

【原文】

马，蹄可以践霜雪，毛可以御风寒，龁草饮水，翘足而陆，此马之真性也。虽有义台路寝，无所用之。及至伯乐，曰：“我善治马。”烧之，剔之，刻之，雒之①，连之以羁馽②，编之以皁栈③，马之死者十二三矣。饥之，渴之，驰之，骤之，整之，齐之，前有橛饰之患，而后有鞭筴之威，而马之死者已过半矣。陶者曰：“我善治埴④，圆者中规，方者中矩。”匠人曰：“我善治木，曲者中钩，直者应绳。”夫埴木之性，岂欲中规矩钩绳哉？然且世世称之曰伯乐善治马，而陶、匠善治埴、木，此亦治天下者之过也。

【注释】

①雒（luò）之：给马戴笼头。②羁：带嚼子的马络头。馽（zhí）：用来绊住马前足的绳索。③皁（zào）：马槽。栈：马棚。④治埴（zhí）：烧制陶器。埴，黏土。

【译文】

马，蹄可以踏霜雪，毛可以抵御风寒，饿了吃草，渴了喝水，兴起时奋力跳跃，这是马的天性。即使有宫殿，对马来说也是没用的。等到世上出现了伯乐，说：“我善于管理马。”于是用烧红的铁器在马身上打火印，用剪刀修马鬃，凿削马蹄甲，烙制马印，用络头和缰绳来拴连它们，用马槽和马床来编排它们，这样一来马便死掉十分之二三了。饿了不喂它，渴了不给水喝，让它们快速奔跑，让它们行动一致，前有横木和装饰的限制，后有皮鞭和竹条的威逼，这样一来马就死掉过半了。制陶工匠说："我善于烧制陶器，我用黏土做成的器皿，圆的就像圆规，方的就像角尺。"木匠说："我善于制作木器，我用木材做成的器皿，能使弯曲的合于钩弧的要求，笔直的跟墨线吻合。"黏土和木材的本性难道就是为了合乎圆规、角尺、钩弧、墨线吗？然而还世代称赞他们说，伯乐善于管理马，而陶匠、木匠善于制作黏土和木材，这都是治理天下的人的过错啊！

【原文】

吾意善治天下者不然。彼民有常性，织而衣，耕而食，是谓同德；一而不党，命曰天放，故至德之世，其行填填①，其视颠颠②。当是时也，山无蹊隧，泽无舟梁，万物群生，连属其乡，禽兽成群，草木遂长。是故禽兽可系羁而游，乌鹊之巢可攀援而窥。夫至德之世，同与禽兽居，族与万物并，恶乎知君子小人哉，同乎无知，其德不离；同乎无欲，是谓素朴。素朴而民性得矣。

及至圣人，蹩躠③为仁，踶跂④为义，而天下始疑矣，澶漫⑤为乐，摘僻为礼，而天下始分矣。故纯朴⑥不残，孰为牺尊？白玉不毁，孰为珪璋？道德不废，安取仁义？性情不离，安用礼乐？五色不乱，孰为文采？五声不乱，孰应六律？夫残朴以为器，工匠之罪也；毁道德以为仁义，圣人之过也。

【注释】

①填填：悠闲稳重的样子。②颠颠：质朴纯真的样子。③蹩躠（bié xiè）：跛者走路的样子，引申为费劲的样子。④踶跂（zhì qǐ）：用心的样子。⑤澶（chán）漫：放纵安逸。⑥纯朴：原始的木料。

【译文】

我认为善于管理天下的人不是这样。百姓有他们不变的本性，先织布后穿衣，先耕种后吃饭，这是人类共有的本性。人们的思想和行为没有一点偏私的地方，这是顺其自然。所以在盛德的时代，人类拥有最纯真的本性，他们的行为都保持自然的秉性，他们的目光也非常单纯。正是在这个年代里，山中没有路和隧道，水面上也没有船只和桥梁，各种生物共同生活，人类的居所相通相连，而没有乡、县的差别，禽兽成群结队，草木随意生长。因此可以用绳子牵引禽兽游玩，可以攀登上鸟鹊的巢窠去探望。在那盛德的年代，人类跟禽兽共同居住，跟各种物类相聚在一起，如何知道什么君子、小人！人人都没有智慧，人类的本能和天性也就不会丧失；每个人都没有私欲，这就叫作“素”和“朴”。能够像生绢和原木那样保持自然的本色，人类纯真的本性就可以完整地留传下来。

当世上出现圣人后，费力地倡导所谓的仁爱，尽心地追求所谓的礼义，于是天下开始出现了猜忌和疑惑。放纵地制作乐章，烦琐地制定礼法，所以天下开始出现离散的局面。所以原始的树木不被破坏，谁为酒器？白玉不毁坏，谁为珪璋？道德不被废弃，哪里用得着仁义？本性和真情不被违背，哪里用得着礼乐？五色不被散乱，谁能调出文采？五声不被错乱，谁能应和六律？分解原木做成器具，是工匠的罪过；诋毁道德以求仁义，这是圣人的过错。

【原文】

夫马，陆居则食草饮水，喜则交颈相靡，怒则分背相踶。马知已此矣。夫加之以衡扼，齐之以月题，而马知介倪、闉扼、鸷曼、诡衔、窃辔[①]。故马之知而态至盗者，伯乐之罪也。夫赫胥氏之时，民居不知所为，行不知所之，含哺而熙[②]，鼓腹而游，民能以此矣。及至圣人，屈折礼乐以匡天下之形，县跂仁义以慰天下之心，而民乃始踶跂好知，争归于利，不可止也。此亦圣人之过也。

【注释】

①介倪、闉（yīn）扼、鸷（zhì）曼、诡衔、窃辔：都是指马不听使唤，诡计多端地进行反抗的状态。闉扼，曲着脖子想摆脱车轭。鸷曼，抵触车幔。②熙：通“嬉”，游戏。

【译文】

马，在陆地食草饮水，高兴的时候交颈相摩擦，生气时背对背相互碰撞，这就是马的智慧了。如果加上车衡和颈扼，佩戴头饰，马就懂得折毁车輗、曲颈脱軏、抵触车幔、吐出勒口、咬断笼头。所以马与人对抗，是伯乐的罪过啊。上古赫胥氏的时代，居民安居而无所作为，游荡而不知所往，含着食物嬉戏，吃饱肚子游玩，人们只能做这些。等到圣人出现，就用礼乐来匡扶天下，以仁义为标榜，于是人们开始寻求智巧，追逐名利，不能终止，这是圣人的过错。

胠箧

【题解】

“胠箧”的意思是打开箱子。本篇的主旨跟《马蹄》一样，但比《马蹄》更为深刻，言辞也更加直接，一方面竭力抨击所谓圣人的“仁义”，一方面倡导抛弃一切文化和智慧，使社会回到原始状态中去。宣扬“绝圣弃知”的思想和返归原始的政治主张。

本篇深刻揭露了仁义的虚伪和社会的黑暗，一针见血地指出“窃钩者诛，窃国者为诸侯”。但由于看不到社会的出路，于是提出“绝圣弃知”的主张，要摒弃社会文明与进步，回到人类的原始状态。

【原文】

将为胠箧、探囊、发匮之盗而为守备，则必摄缄縢、固扃鐍[①]，此世俗之所谓知也。然而巨盗至，则负匮、揭箧、担囊而趋，唯恐缄縢、扃鐍之不固也。然则乡之所谓知者，不乃为大盗积者也？

故尝试论之。世俗之所谓知者，有不为大盗积者乎？所谓圣者，有不为大盗守者乎？何以知其然邪？昔者齐国，邻邑相望，鸡狗之音相闻，罔罟[②]之所布，耒耨[③]之所刺，方二千余里。阖四竟之内，所以立宗庙社稷，治邑屋州闾乡曲者，曷尝不法圣人哉？然而田成子一旦杀齐君而盗其国，所盗者岂独其国邪？并与其圣知之法而盗之。故田成子有乎盗贼之名，而身处尧舜之安，小国不敢非，大国不敢诛，十二世有齐国。则是不乃窃齐国并与其圣知之法，以守其盗贼之身乎？

尝试论之。世俗之所谓至知者，有不为大盗积者乎？所谓至圣者，有不为大盗守者乎？何以知其然邪？昔者龙逢斩，比干剖，苌弘胣[④]，子胥靡。故四子之贤而身不免乎戮。故跖之徒问于跖曰："盗亦有道乎？"跖曰："何适而无有道邪？"夫妄意室中之藏，圣也；入先，勇也；出后，义也；知可否，知也；分均，仁也。五者不备而能成大盗者，天下未之有也。"由是观之，善人不得圣人之道不立，跖不得圣人之道不行；天下之善不少，而不善人多，则圣人之利天下也少，而害天下也多。故曰：唇竭而齿寒，鲁酒薄而邯郸围，圣人生而大盗起。掊[⑤]击圣人，纵舍盗贼，而天下始治矣。

【注释】

①扃鐍（jiōng jué）：门窗或箱柜上用来加锁的部件，相当于后来的锁钥。②罔罟（wǎng gǔ）：都是网。网鸟的叫罔，网鱼的叫罟。③耒耨（lěi nòu）：都是耕作工具。耒，犁上的木把。耨，锄草的工具。④胣（chǐ）：裂。⑤掊（pǒu）：打倒。

【译文】

为了对付开箱、掏袋、破柜的小偷而做防范准备，就要收紧绳结、加固插闩和锁钥，这是常人所说的聪明做法。可是一旦强盗来了，就背着柜子、扛着箱子、挑着口袋快步跑了，唯恐绳结、插闩与锁钥不够牢固。既然是这样，那么先前的说法，不就是给大盗做好了准备吗？

所以我曾试图讨论，世俗所说的聪明人，有不替大盗聚集财物的吗？所谓的圣人，有不替大盗守卫财物的吗？怎么知道是这样的呢？当年的齐国，邻近村落遥遥相望，鸡狗的叫声相互听闻，罔罟所散布的范围，犁锄所耕种的土地，方圆有两千多里。整个国内，所有用来设立宗庙的地方，所有用来建置各级行政机构的地方，都是效仿古人的做法啊！然而田成子杀了齐国的国君，也就窃据了整个齐国。他所盗窃的难道只是一个国家吗？连同各种圣明的法规与制度也一起夺去了。而田成子虽然有盗贼的名声，但仍处于尧舜那样安稳的地位，小的国家不敢议论他，大的国家不敢讨伐他，世世代代窃据齐国。那么，这不就是盗窃了齐国并且连同盗窃了那里圣明的律法，从而用来守卫他盗贼的身份吗？

所以我曾经试图讨论这样的情况，世俗的所谓聪明人，有不替大盗积聚财物的吗？所谓的圣人，有不替大盗守卫财物的吗？怎么知道是这样的呢？古代龙逢被斩首，比干被剖心，苌弘被掏肚，子胥被抛尸江中腐烂。即使像上面四个人那样贤能的人，都不能避免杀身之祸。所以盗跖的门徒向盗跖问道："做强盗也有原则吗？"盗跖回答说："到什么地方会没有原则呢？凭空推测屋里的财物，这是圣明；先进到屋里，这是勇敢；最后退出屋子，这是义气；知道可否采取行动，这是智慧；事后分配公平，这是仁爱。以上五样都不具备，却能成为大盗，这是天下没有的事。"从这一点来看，善人不能通晓圣人之道就不能立业，盗跖不能通晓圣人之道就不能偷盗；天下善良的人少，而作恶的人多，那么圣人给天下带来的益处也就少了，而给天下带来的祸患也就多了。所以说：嘴唇向外翻开牙齿就会受寒，鲁侯奉献的酒味道淡薄，赵国都城邯郸便遭受到围困，圣人出现了，所以大盗也就开始兴起了。抨击圣人，释放盗贼，天下才能获得安稳。

【原文】

夫川竭而谷虚，丘夷而渊实。圣人已死，则大盗不起，天下平而无故[①]矣。圣人不死，大盗不止。虽重圣人而治天下，则是重[2]利盗跖也。为之斗斛以量之，则并与斗斛而窃之；为之权衡以称之，则并与权衡而窃之；为之符玺以信之，则并与符玺而窃之；为之仁义以矫之，则并与仁义而窃之。何以知其然邪？彼窃钩者诛，窃国者为诸侯。诸侯之门而仁义存焉，则是非窃仁义圣知邪？故逐于大盗、揭诸侯、窃仁义并斗斛权衡符玺之利者，虽有轩冕之赏弗能劝，斧钺之威弗能禁。此重利盗跖而使不可禁者，是乃圣人之过也。

故曰：鱼不可脱于渊，国之利器不可以示人。彼圣人者，天下之利器也，非所以明天下也。

故绝圣弃知，大盗乃止；擿[3]玉毁珠，小盗不起；焚符破玺，而民朴鄙；掊斗折衡，而民不争；殚残天下之圣法，而民始可与论议。擢乱六律，铄绝竽瑟，塞瞽旷之耳，而天下始人含其聪矣；灭文章，散五采，胶离朱之目，而天下始人含其明矣。毁绝钩绳而弃规矩，攦[4]工倕之指，而天下始人有其巧矣。故曰：大巧若拙。削曾史之行，钳杨墨之口，攘弃仁义，而天下之德始玄同矣。彼人含其明，则天下不铄矣；人含其聪，则天下不累[5]矣；人含其知，则天下不惑矣；人含其德，则天下不僻矣。彼曾、史、杨、墨、师旷、工倕、离朱、皆外立其德，而以爚[6]乱天下者也，法之所无用也。

【注释】

①故：意外。②重：增益。③擿（zhì）：同“掷”，扔掉。④攦（lì）：折断。⑤累：忧患。⑥爚（yuè）：炫耀。

【译文】

溪水干涸后山谷就显得格外空旷，山丘夷平后深潭就显得格外充实。圣人死了，那么大盗就不会再兴起，天下就太平而没有变故了。圣人不死，大盗也就不会止息。即使让整个社会都重用圣人来治理天下，这也可以让盗跖获得最大的好处。给天下人制定斗、斛来计量物品的多少，那么就会连同斗、斛一起被盗走；给天下人制定秤锤、秤杆来计量物品的轻重，那么就会连同秤锤、秤杆一起被盗走；给天下人制定符、玺来取信于人，那么就连同符、玺一起被盗走；给天下人制定仁义来规范人们的道德和行为，那么就连同仁义一起被盗走。怎么知道是这样的呢？那些偷些小东西的人会受到刑罚，而窃夺了整个国家的人却能够成为诸侯。诸侯门前于是打起了仁义的旗号，这不就是盗窃了仁义和圣智吗？所以说，那些追随大盗、高居诸侯之位、窃夺了仁义及斗斛、市秤、符玺之利的人，即使用地位和财富也不能劝诫他们，用刑罚也不能阻止他们。这些都是有利于盗跖而不能禁止他们的情况，都是圣人的过错。

所以说，鱼不能离开深潭，治国的利器不能随便拿给人看。那些所谓的圣人，就是治理天下的利器，是不可以用来明示天下的。

所以，抛下聪明，摒弃智慧，大盗才能够止息；弃掷玉器，毁坏珠宝，小的盗贼就会消失；焚烧符记，破毁玺印，百姓就会朴实；打破斗斛，折断秤杆，百姓就没有争斗；尽毁天下的圣明法度，百姓才能谈论是非。搅乱六律，毁折各种乐器，并且堵住师旷的耳朵，天下人才能内敛他们的灵敏；消除纹饰，离散五彩，粘住离朱的眼睛，天下人才能隐藏他们的明察；毁坏钩弧和墨线，抛弃圆规和角尺，弄断工倕的手指，天下人才能隐蔽他们的技巧。所以说：最大的智慧就像笨拙一样。削除曾参、史鳝的忠孝，钳住杨朱、墨翟善辩的嘴巴，摒弃仁义，天下人的德行才能统一。所有人都隐藏明察，那么天下就不会出现毁坏；所有人都内敛灵敏，那么天下就不会出现忧患；所有人都隐蔽技巧，那么天下就不会出现迷惑；所有人都保有原本的秉性，那么天下就没有邪恶。曾参、史鳝、杨朱、墨翟、师旷、工倕和离朱，都外露并炫耀自己的德行，而使天下迷乱，治理国家是用不着这些办法的。

【原文】

子独不知至德之世乎？昔者容成氏、大庭氏、伯皇氏、中央氏、栗陆氏、骊畜氏、轩辕氏、赫胥氏、尊卢氏、祝融氏、伏牺氏、神农氏，当是时也，民结绳而用之，甘其食，美其服，乐其俗，安其居，邻国相望，鸡狗之音相闻，民至老死而不相往来。若此之时，则至治已。今遂至使民延颈举踵，曰：“某所有贤者，”赢粮而趣之，则内弃其亲，而外去其主之事；足迹接乎诸侯之境，车轨结乎千里之外，则是上好知①之过也。上诚好知而无道，则天下大乱矣。

何以知其然邪？夫弓、弩、毕、弋、机变之知多，则鸟乱于上矣；钓饵、罔罟、罾笱②之知多，则鱼乱于水矣；削格③、罗落、罝罘④之知多，则兽乱于泽矣；知诈渐毒、颉滑坚白、解垢同异之变多，则俗惑于辩矣。故天下每每大乱，罪在于好知。故天下皆知求其所不知，而莫知求其所已知者；皆知非其所不善，而莫知非其所已善者，是以大乱。故上悖日月之明，下烁山川之精，中堕四时之施，惴耎⑤之虫，肖翘⑥之物，莫不失其性。甚矣，夫好知之乱天下也！自三代以下者是已，舍夫种种之民，而悦夫役役之佞，释夫恬淡无为，而悦夫哼哼⑦之意，哼哼已乱天下矣。

【注释】

①好知（hào zhì）：推崇才智。②罾（zēng）：用竿子支撑的形如伞状的鱼网。笱（gǒu）：用作捕鱼的竹笼。③削格：用来支撑兽网的桩子。④罝罘（jū fú）：捕兽的网。⑤惴耎（zhuì ruǎn）：虫动的样子，此处指附地而生的小虫。⑥肖翘：轻微的样子，指飞在空中的小虫。⑦哼（zhūn）哼：通“谆谆”，不停地说教的样子。

【译文】

你不知道那盛德之世吗？从前有容成氏、大庭氏、伯皇氏、中央氏、栗陆氏、骊畜氏、轩辕氏、赫胥氏、尊卢氏、祝融氏、伏羲氏、神农氏，在那个时代，人民靠结绳的办法记事，把粗陋的饭菜当作美食，把朴素的衣衫当作美服，把淳厚的风俗当作欢乐，把简陋的居所当作安逸，邻近的国家相互观望，鸡狗的叫声相互听闻，百姓到老死也互不往来。这个时代，就可说是真正的太平治世了。可是当今竟让百姓伸长脖颈踮起脚跟说：“某个地方出现了圣人。”于是带着干粮急忙赶去，对内撇下双亲，对外抛弃事业，脚步不断出入于各诸侯国，车轨不停行驶于千里之外，这是统治者一心追求智巧的过错。统治者喜欢智巧而没有道德天下就会大乱。

怎么知道是这样的呢？弓弩、鸟网、弋箭、机关之类的智慧多了，那么天上的鸟就被扰乱了；钩饵、渔网、鱼笼之类的智慧多了，那么水里的鱼就被扰乱了；木栅、兽栏、兽网之类的智慧多了，那么草泽里的野兽就被扰乱了；伪骗欺诈、奸黠狡猾、言辞诡曲、坚白之辩、同异之谈等变多了，那么世俗的人就会被诡辩所迷惑。所以天下就会大乱，罪过就在于喜好智巧。所以天下人都只知道追求他人所不知道的，却不知道探索他所已经知道的事物；只知道非难他所认为不好的，却不知非难他所赞同的，因此天下大乱。所以对上而言遮掩了日月的光辉，对下而言瓦解了山川的精华，居中而言就会损毁四时的变换，就连小虫、蛾蝶都会丧失本性。追求智慧而扰乱天下，竟然达到如此地步！自夏、商、周三代以来的情况就是这样的啊，抛弃那众多淳朴的百姓，而喜好那诡诈小人；废置那恬淡无为的自然风尚，喜好那喋喋不休的说教。那些喋喋不休的说教已经搞乱了天下。

在宥

【题解】

“在”是自在的意思，“宥”是宽容的意思，取其宽然自存之意。反对人为，提倡自然，阐述无为而治的主张就是本篇的主旨。

【原文】

闻在宥天下，不闻治天下也。在之也者，恐天下之淫其性也；宥之也者，恐天下之迁其德也。天下不淫其性，不迁其德，有治天下者哉！昔尧之治天下也，使天下欣欣焉人乐其性，是不恬也；桀之治天下也，使天下瘁瘁焉人苦其性，是不愉也。夫不恬不愉，非德也。非德也而可长久者，天下无之。

人大喜邪，毗[1]于阳；大怒邪，毗于阴。阴阳并毗，四时不至，寒暑之和不成，其反伤人之形乎！使人喜怒失位，居处无常，思虑不自得，中道不成章，于是乎天下始乔诘卓鸷[2]，而后有盗跖、曾史之行。故举天下以赏其善者不足，举天下以罚其恶者不给，故天下之大不足以赏罚。自三代以下者，匈匈焉终以赏罚为事，彼何暇安其性命之情哉！

而且说明邪，是淫于色也；说聪邪，是淫于声也；说仁邪，是乱于德也；说义邪，是悖于理也；说礼邪，是相于技也；说乐邪，是相于淫也；说圣邪，是相于艺也；说知邪，是相于疵也。天下将安其性命之情，之八者，存可也，亡可也；天下将不安其性命之情，之八者，乃始脔卷狁囊[3]而乱天下也。而天下乃始尊之惜之，甚矣，天下之惑也！岂直过也而去之邪，乃齐戒以言之，跪坐以进之，鼓歌以儛之，吾若是何哉！

故君子不得已而临莅天下，莫若无为。无为也而后安其性命之情。故贵以身于为天下，则可以托天下；爱以身于为天下，则可以寄天下。故君子苟能无解其五藏，无擢其聪明；尸居[4]而龙见，渊默而雷声，神动而天随，从容无为而万物炊累焉。吾又何暇治天下哉！

【注释】

①毗（pí）：偏，损伤。②乔诘：骄傲自大。乔，骄。诘，挑剔别人的过错。卓鸷：超群不凡。鸷，性情猛烈的鸟，比喻超凡。③脔（luán）卷：拘束不伸展的样子。狁（cāng）囊：喧嚷纷争的样子。④尸居：寂然不动的样子。

【译文】

只听说任由天下自由发展，没有听说要对天下进行治理。听任天下自由地发展，是因为担心人们超越了原本的真性；从容不迫，是因为担心人们改变了自然的常态。天下人不超越原本的真性，不改变自然的常态，哪里用得着治理天下！从前尧治理天下的时候，使得人们欣喜若狂，欢乐不已，这就不安宁了；夏桀治理天下的时候，使人们疲于奔波，痛苦不堪，这就让人不愉快了。既不安宁也不惬意，是违背道德的。违背道德却能持久常存，这是天下没有的事情。

人们过度欢乐，会损伤阳气；人们过度愤怒，会损伤阴气。阴阳相互侵害，四时就不遵循应有的规律，寒暑也就不会调和形成，这反倒会伤害自身吧！使人喜怒无常，没有固定的住处，想问题也没有重点，中和之道失去章法，于是天下开始出现不平，然后有盗跖、曾参、史鳝的各种行为。所以调动天下所有力量来奖励善行也不够，用所有力量惩罚恶行也不够，所以天下即使很大，也是不足以用来惩恶扬善的。他又哪里有心思去安定人的本性呢！

而且，喜欢明目，便沉溺五色；喜欢耳聪，便沉溺声乐；喜欢仁爱，便扰乱人的自然常态；喜欢道义，便违反事物的常理；喜好礼仪，便助长了烦琐的技巧；喜欢音乐，便助长淫乐；喜欢圣智，便助长技艺；喜欢智巧，便助长烦琐的争辩。如果天下人想要安定并保持真情和本性，这八种做法，保存和抛弃都可以；如果天下人不想安定并保持真情和本性，这八种做法，就会成为扰攘纷争的因素而迷乱天下了。可是，天下人会尊崇它，珍惜它，天下人被它所迷惑达到如此地步！人们哪里认为这是错误的就抛弃它呢？人们还虔诚、恭敬地传颂它，欢欣地供奉它，我对此又能做什么呢！

所以，君子不得已才统治天下的地位，那就不如顺其自然。顺其自然才能让天下人保有本性与真情。正是这样，珍重自身甚于珍重天下的人，便把天下交给他；爱护自身甚于爱护天下之事的人，便把天下托付给他。也正是因为这样，君子如果能不放纵欲望，不表露自己的才华和智巧，那就会安然不动，看起来深沉静默，实则如雷声般震动，精神活动合乎天理，顺应自然万物都像炊烟那样自由自在，我又何必分心去治理天下啊！

【原文】

崔瞿问于老聃曰："不治天下，安藏人心？"

老聃曰："女慎无撄人心。人心排下而进上，上下囚杀[①]，淖约柔乎刚强。廉刿[②]雕琢，其热焦火，其寒凝冰。其疾俯仰之间而再抚四海之外，其居也渊而静，其动也县而天。偾骄[③]而不可系者，其唯人心乎！昔者黄帝始以仁义撄人之心，尧舜于是乎股无胈，胫无毛，以养天下之形，愁其五藏以为仁义，矜其血气以规法度。然犹有不胜也，尧于是放讙兜于崇山，投三苗于三峗，流共工于幽都，此不胜天下也。夫施及三王而天下大骇矣，下有桀跖，上有曾史，而儒墨毕起。于是乎喜怒相疑，愚知相欺，善否相非，诞信相讥，而天下衰矣。大德不同，而性命烂漫矣；天下好知，而百姓求竭矣。于是乎釿锯制焉，绳墨杀焉，椎凿决焉。天下脊脊大乱，罪在撄人心。故贤者伏处[④]大山嵁岩[⑤]之下，而万乘之君忧栗乎庙堂之上。今世殊死者相枕也，桁杨[⑥]者相推也，刑戮者相望也，而儒墨乃始离跂攘臂乎桎梏之间。意，甚矣哉！其无愧而不知耻也甚矣！吾未知圣知之不为桁杨椄槢[⑦]也，仁义之不为桎梏凿枘也，焉知曾史之不为桀跖嚆矢[⑧]也！故曰'绝圣弃知而天下大治'。"

【注释】

①囚杀：憔悴。②刿（guì）：割。③偾（fèn）骄：奋发骄纵，形容不可禁制的势态。④伏处：隐遁。⑤嵁（kān）岩：深岩。⑥桁（háng）杨：加在脚上和颈上的刑具。⑦椄槢（jiē xí）：接合枷锁的横木。⑧嚆（hāo）矢：响箭，比喻先声。

【译文】

崔瞿子向老聃请教："不治理天下怎么能让人们向善呢？"

老聃回答说："你要谨慎而为，不要扰乱人心。人的心情受到压抑便消沉，受到推崇便会振奋，不过，无论消沉或者振奋都会像受到拘禁和伤害一样自累自苦，只有柔弱顺应可以软化刚强。受伤害时就像被切割雕刻一般，情绪激烈时像大火，情绪低落时像寒冰。内心变化得非常快，俯仰之间便能畅游四海之外，静处时宁寂，活动时腾跃。骄矜不禁而无所拘系的，恐怕就只是人的内心吧！从前黄帝开始用仁义扰乱人心，尧和舜为此奔波，直至腿上无肉、胫上秃毛，以养育天下众多的身体，满心焦虑地到处推行仁义，耗费心血来制定法度。然而尧还是没有治理好天下。此后他将讙兜放逐到南方的崇山，将三苗放逐到西北的三峗，将共工放逐到北方的幽都，这些就是没有治理好天下的证明。延续到夏、商、周三代后，天下便更加惊恐不安了，下有夏桀、盗跖之流，上有曾参、史鳍之辈，而儒家和墨家的争辩又全面展开。于是，喜者与怒者相互猜疑，愚者与智者相互欺侮，善者与不善者相互非议，荒诞者与真实者相互讥讽，天下的人性就自此衰微了。人心不能统一，生命的本真也随之受到伤害；天下都追求智巧，百姓之中纷争迭起。于是用各种法律法规、严酷的刑罚来规范人们。天下大乱，而罪在被扰乱的人心。所以贤能的人都隐居于山林之中，当今诸侯忧虑于朝堂之上。当今世上，有无数的人遭受刑罚而死去，尸体叠压，戴着刑具的囚犯一个接着一个，遭受鞭刑的人多得满眼都是，而儒家墨家竟然翘着脚，举起手，还在囚犯中奋力地争辩。唉，真是太过分了！他们不知羞耻竟然达到这等地步！我不明白圣智并非枷锁的横木，也不懂仁义并非枷锁的木栓和孔穴，又怎么知道曾参和史鳍之辈不是夏桀和盗跖出现的信号！所以说'灭绝圣人，抛弃智慧，天下就会相安无事'。"

【原文】

黄帝立为天子十九年，令行天下，闻广成子在于空同之山，故往见之。曰："我闻吾子达于至道，敢问至道之精。吾欲取天地之精，以佐五谷，以养民人。吾又欲官阴阳，以遂群生，为之奈何？"广成子曰："而所欲问者，物之质也；而所欲官者，物之残也。自而治天下，云气不待族而雨，草木不待黄而落，日月之光益以荒矣。而佞人之心翦翦者，又奚足以语至道！"黄帝退，捐[1]天下，筑特室，席白茅，间居三月，复往邀之。

广成子南首而卧，黄帝顺下风，膝行而进，再拜稽首而问曰：“闻吾子达于至道，敢问治身，奈何而可以长久？”广成子蹶然而起，曰：“善哉问乎！来！吾语女至道。至道之精，窈窈冥冥；至道之极，昏昏默默。无视无听，抱神以静，形将至正。必静必清，无劳女形，无摇②女精，乃可以长生。目无所见，耳无所闻，心无所知，女神将守形，形乃长生。慎女内③，闭女外④，多知为败。我为女遂于大明之上矣，至彼至阳之原也。为女入于窈冥之门矣，至彼至阴之原也。天地有官，阴阳有藏；慎守女身，物将自壮。我守其一以处其和，故我修身千二百岁矣，吾形未常衰。”黄帝再拜稽首，曰：“广成子之谓天矣。”

广成子曰：“来，余语女。彼其物无穷，而人皆以为有终；彼其物无测，而人皆以为有极。得吾道者，上为皇而下为王；失吾道者，上见光而下为土。今夫百昌⑤皆生于土而反于土，故余将去女，入无穷之门，以游无极之野。吾与日月参光，吾与天地为常。当我，缗乎！远我，昏乎！人其尽死，而我独存乎！”

【注释】

①捐：抛弃。②摇：扰乱。③内：精神。④外：耳目。⑤百昌：百物。

【译文】

黄帝做了十九年天子，号令通行天下，听说广成子居住在崆峒山上，特意去拜见他，说：“我听说先生已经通晓至道，冒昧地请教至道的精华。我一心想获得天地的灵气，用来帮助五谷生长，用以养育百姓。我又希望能主宰阴阳，从而让万物成长，为此我应该怎样做？”广成子回答说：“你想问的是万物的根本，你所要主宰的却是万物的残渣。自从你治理天下后，云气尚未聚起就下雨，草木还没到季节就凋零，日月的光辉越来越暗淡，小人心窄，如何听得大道！”黄帝听后便退回，不理朝政，修了一间屋子，铺上白茅，独居三月，又前去拜访。

广成子头朝南地躺着，黄帝则顺着风的下方，用膝盖跪地行走，到他面前再次叩首行礼后问道："听说先生已经通晓至道，冒昧地请教怎样修养自身才能活得长久呢？"广成子急忙挺身而起，说："问得好啊！来，我告诉你至道。至道的精髓幽深邈远，至道的极致晦暗沉寂。不看不听，持守精神保持宁静，形体自然顺应正道。要保持宁寂和清静，不要让身形疲累劳苦，不要让精神动荡恍惚，让你的精神守护着身体，这样就可以长生。眼睛不去看，耳朵不去听，内心不去想，这样就会长生。要摒除思虑封闭感官，智巧太强盛会败亡。我帮你达到光明的境地，直达阳气的本原；我帮你进入到幽深渺远的大门，直达阴气的本原。天地阴阳各有其主，你要小心守护你的身形，万物将会自然地成长。我持守天道，与万物和谐相处，所以我修身到现在已经一千二百年了，而我的身形还未曾衰亡。"黄帝再次叩头至地说："先生真可说是跟自然混而为一了。"

广成子又说："来，让我告诉你。宇宙万物没有止境，而人们却认为有尽头；宇宙间的万物高深莫测，而人们却认为是有限的。掌握了这些，上可成皇，下可称王，没有掌握这些，对上只可以看到日月之光，对下只可以化为尘土。现在万物昌盛，源于土又归于土。所以我要离开你，去那无止境的大门，在无限的旷野中遨游。我将与日月同光，我将与天地共存。向着我而来的，我无所觉察！背着我而去的，我无所在意！人们都会死去，我却能独自留下来啊！"

【原文】

云将东游，过扶摇之枝而适遭鸿蒙。鸿蒙方将拊脾雀跃而游。云将见之，倘然止，贽然[①]立，曰："叟何人邪？叟何为此？"鸿蒙拊脾雀跃不辍，对云将曰："游！"云将曰："朕愿有问也。"鸿蒙仰而视云将曰："吁！"云将曰："天气不和，地气郁结，六气不调，四时不节。今我愿合六气之精以育群生，为之奈何？"鸿蒙拊脾雀跃掉头曰："吾弗知！吾弗知！"云将不得问。

又三年，东游，过有宋之野而适遭鸿蒙。云将大喜，行趋而进曰："天忘朕邪？天忘朕邪？"再拜稽首，愿闻于鸿蒙。鸿蒙曰："浮游，不知所求；猖狂，不知所往。游者鞅掌[②]，以观无妄。朕又何知！"云将曰："朕也自以为猖狂，而民随予所往；朕也不得已于民，今则民之放也。愿闻一言。"

鸿蒙曰："乱天之经，逆物之情[③]，玄天弗成；解兽之群，而鸟皆夜鸣；灾及草木，祸及止虫，意，治人之过也！"云将曰："然则吾奈何？"鸿蒙曰："意，毒哉！仙仙[④]乎归矣。"云将曰："吾遇天难，愿闻一言。"

鸿蒙曰："意！心养。汝徒处无为，而物自化。堕尔形体，吐尔聪明，伦与物忘，大同乎涬溟[⑤]，解心释神，莫然无魂。万物云云，各复其根，各复其根而不知；浑浑沌沌，终身不离；若彼知之，乃是离之。无问其名，无窥其情，物固自生。"云将曰："天降朕以德，示朕以默。躬身求之，乃今也得。"再拜稽首，起辞而行。

【注释】

①贽（zhì）然：不动的样子。②鞅掌：放任随意。③情：本性。④仙仙：轻举的样子。⑤涬（xìng）溟：混混沌沌的状态。

【译文】

云将到东方巡游，经过神木扶摇的枝旁恰巧遇上了鸿蒙。鸿蒙正拍着腿像雀儿一样跳跃游乐。云将见鸿蒙那般模样，惊疑地停下来，说："老先生是什么人呀！你老先生为什么这个样子？"鸿蒙拍着大腿不停地跳跃，对云将说："自在地游乐！"云将说："我想向你请教一些事情。"鸿蒙抬起头来看了看云将道："哎！"云将说："天之气不和谐，地之气郁结了，六气不和，四时变化不符合节令。现在我希望调谐六气之精华来养育众生，这又怎么办呢？"鸿蒙拍着大腿跳跃着掉过头去，说："我不知道！我不知道！"云将得不到回答。

三年过去，云将又到东方巡游，经过宋国的原野恰巧又碰到鸿蒙。云将很开心，快步来到近前说："你忘记我了吗？你忘记我了吗？”对其叩拜，希望得到指教。鸿蒙说：“自在的活动没有目的，自由随心也不知要去哪里。在无拘无束的漫游中，观察事物本来的面目，现在我又能知道些什么呢！”云将说：“我自以为随心所欲，而人民跟随着我；我不得已对人民亲近，现在却被人们所效仿。我希望您能教诲我一些道理。”

鸿蒙说：“打乱了常规，违背万物的本性，整个自然都不能顺其自然地变化。野兽离群索居，鸟儿因惊吓而夜鸣，灾害波及草木，祸患波及昆虫。唉，这都是治理天下的过错！”云将问：“那么我应该怎么办？”鸿蒙说：“唉，你受到的毒害实在太深啊！你还是飘回去吧。”云将说：“我遇见你实在不容易，希望能听到您的指教。”

鸿蒙说：“唉！修身养性。你要做到无为，万物会自然地变化。忘却你的形体，抛弃你的智慧，让一切都被遗忘。混同在自然之气中，放松心灵，释放精神，无知无觉，身心俱忘。万物繁杂，全都回归本性，回归本性是自然而然不知不觉的过程。浑然无知，不用心机，才能终生不离本性；假如有所感知，那就是背离本真。不要询问它们是什么，不要窥测它们的实情，那是万物自然的化生。”云将说：“先生把对待事物的要领传授给我，把清心寂神的方法告诉我。我亲身探求大道，所以现在才有所领悟。”叩头至地再次行了大礼，起身告别而去。

【原文】

世俗之人，皆喜人之同乎己而恶人之异于己也。同于己而欲[①]之，异于己而不欲者，以出乎众为心也。夫以出乎众为心者，曷常出乎众哉！因众以宁[②]所闻，不如众技众矣。而欲为人之国者，此揽乎三王之利而不见其患者也。此以人之国侥幸也，几何侥幸而不丧人之国乎！其存人之国也，无万分之一；而丧人之国也，一不成而万有余丧矣。悲夫，有土者之不知也。

夫有土者，有大物也。有大物者，不可以物；物而不物，故能物物。明乎物物者之非物也，岂独治天下百姓而已哉！

出入六合，游乎九州，独往独来，是谓独有。独有之人，是谓至贵。

大人之教，若形之于影，声之于响。有问而应之，尽其所怀，为天下配。处乎无响[3]，行乎无方[4]。挈[5]汝适复之挠挠[6]，以游无端；出入无旁，与日无始；颂论形躯，合乎大同，大同而无已。无已，恶乎得有有！睹有者，昔之君子；睹无者，天地之友。

【注释】

①欲：喜爱。②宁：坚信。③无响：寂静无声。④无方：不固定方向。⑤挈（qiè）：携带。⑥挠挠：纷乱的样子。

【译文】

世俗的人喜欢别人与自己相同，而讨厌别人与自己不同。希望别人与自己一样，不想别人与自己不一样，总是把出人头地当作内心的追求。那些一心只想出人头地的人，又何尝能够超出众人呢！随顺大家就能够得到安宁，可是个人的所闻总比不上众人的才能多。希望治理邦国的人，一定是贪取夏、商、周三代帝王之利而又看不到后患的人。这样做是凭借国君的地位贪求个人的侥幸。贪求侥幸而又不会丧失国家统治权力的又有多少人呢！在他们当中能够保存国家的，不到万分之一，而能使国家丧失，自身一无所成而且还会留下很多祸患的，则有上万人。可悲呀，拥有土地的统治者是这般不聪明！

拥有土地的国君，就会拥有天下万物。拥有天下万物却不可以受外界的驱使。虽然拥有万物，但不受外物拘泥，才能统领万物。要知道统领万物的是非物质的道，这难道只是治理天下百姓的道理而已吗？出入于六合之境，遨游于九州之间，不受外物拘泥而自由往来，这就是超越众人。超越众人的人，称得上是至高无上的贵人。

至贵之人的教诲，就好像形体对于身影，传声对于回响。有提问就有应答，竭尽自己所能，为天下人的提问做出回答。心处于没有声响的境界，活动在变化不定的地方，引领着人们往返于纷扰的世界中，从而遨游在无始无终的浩渺之境，或出或进都无须依傍，像跟随太阳那样周而复始地没有尽头。言谈举止均和众人一样，大家都是一样也就不再体现个体的特殊性。不再体现个体的特殊性，哪里用得着把所占有的视为己有呢！着眼于有，这是从前的君子；着眼于无，这就跟永恒的天地成了朋友。

【原文】

贱而不可不任①者，物也；卑而不可不因②者，民也；匿而不可不为者，事也；粗而不可不陈③者，法也；远而不可不居者，义也；亲而不可不广者，仁也；节而不可不积者，礼也；中④而不可不高者，德也；一而不可不易者，道也；神而不可不为者，天也。故圣人观于天而不助，成于德而不累，出于道而不谋，会⑤于仁而不恃，薄⑥于义而不积，应于礼而不讳⑦，接于事而不辞，齐于法而不乱，恃于民而不轻，因于物而不去。物者莫足为也，而不可不为。不明于天者，不纯于德；不通于道者，无自而可。不明于道者，悲夫！

何谓道？有天道，有人道。无为而尊者，天道也；有为而累者，人道也。主者，天道也；臣者，人道也。天道之与人道也相去远矣，不可不察也。

【注释】

①任：依凭。②因：随从。③陈：施行。④中：平庸。⑤会：符合。⑥薄：接近。⑦讳：拘束。

【译文】

低贱而不可不听任的，是万物；卑微而不可不随顺的，是百姓；不显眼而不可不去做的，是事情；不周全而不可不施行的，是可供效法的言论；距离遥远但又不可不恪守的，是道义；亲近然而不可不推广的，是仁爱；细末的小节不可不累积的，是礼仪；顺依其性然而不可不尊崇的，是德；本于一气然而不可不变化的，是道；神妙莫测然而不可不顺应的，是自然。所以圣人观察自然的神妙却不去帮助，成就了无瑕的修养却不受拘束，行动顺自然之道而生，不必有意图谋，符合仁的要求却并不有所依赖，接近道义却毫无保留，该行礼时行礼而不回避，接触琐事也不推迟，统一法度而不肆行妄为，依靠百姓却不随意役使，遵循万物的规律而不抛弃。万事万物都不能强为，但又必须去做。不明白自然的变化和规律，也就不会具备真正的修养；不通晓道的人，没有什么事情可以办成。不通晓道的人，真是可悲啊！

什么是道？有天道，有人道。无所作为却身处崇高地位的，这就是天道，凡事亲力亲为而获得劳苦，这就是人道。君王就是天道，臣就是人道。天道与人道相差实在太远，必须细心体察。

天地

【题解】

“天”和“地”在庄子哲学体系中乃是元气之所生，万物之所祖，一高远在上，一浊重在下，故而以“天地”开篇。本篇的主旨仍在于阐述无为而治的主张，重在论述国君的道德。

【原文】

天地虽大，其化均也；万物虽多，其治一也；人卒虽众，其主君也。君原于德而成于天，故曰，玄古[①]之君天下，无为也，天德而已矣。以道观言而天下之君正，以道观分而君臣之义明，以道观能[②]而天下之官治，以道泛观而万物之应备。故通于天下者，德也；行于万物者，道也；上治人者，事也；能有所艺者，技也。技兼于事，事兼于义，义兼于德，德兼于道，道兼于天。故曰：古之畜天下者，无欲而天下足，无为而万物化，渊静而百姓定。《记》曰：“通于一而万事毕，无心得而鬼神服。”

【注释】

①玄古：远古。②能：能力。

【译文】

天地虽然很大，但它们的变化是均衡的；万物虽然繁杂，不过它们各得其所，归根结底是同一的；百姓众多，但他们的主宰都是国君。国君管理天下要以顺应事物为根本而成事于自然，所以说，在遥远的古代，君主统驭天下，无所作为，就是顺其自然而已。用道的观点来看待问题，那么所有的国君都是名正言顺的统治者；用道的观点来看待职分，那么君臣各自应该承担的道义就明确了；用道的观点来看待才干，那么天下的官吏都尽职尽责；从道的观点广泛地观察，万物全都自得。所以，贯穿于天地间的是"德"；通行于万物的是"道"；善于治理天下，能够让能力和才干充分发挥的就是技巧。技巧都归结于事务，事务又归结于义理，义理归结于"德"，"德"归结于听任自然的"道"，听任自然的"道"归结于万物的本性。所以说，古时候的统治者，无所追求而天下富足，无所作为而万物自行变化发展，沉静如渊，使得人心安定。古书上记载说："通晓大道而万事自然完满成功，无心欲求让鬼神信服。"

【原文】

夫子曰："夫道，覆载万物者也，洋洋乎大哉！君子不可以不刳[①]心焉。无为为之之谓天，无为言之之谓德，爱人利物之谓仁，不同同之之谓大，行不崖异[②]之谓宽，有万不同之谓富。故执德之谓纪，德成之谓立，循于道之谓备，不以物挫志之谓完。君子明于此十者，则韬乎其事心之大也，沛乎其为万物逝也。若然者，藏金于山，藏珠于渊，不利货财，不近贵富；不乐寿，不哀夭；不荣通，不丑穷；不拘一世之利以为己私分，不以王天下为己处显。显则明，万物一府，死生同状。"

夫子曰："夫道，渊乎其居也，漻[③]乎其清也。金石不得，无以鸣。故金石有声，不考不鸣。万物孰能定之！夫王德之人，素逝而耻通于事，立之本原而知通于神。故其德广，其心之出，有物采[4]之。故形非道不生，生非德不明。存形穷生，立德明道，非王德者邪！荡荡乎！忽然出，勃然动，而万物从之乎！此谓王德之人。视乎冥冥，听乎无声。冥冥之中，独见晓焉；无声之中，独闻和焉。故深之又深而能物焉，神之又神而能精焉。故其与万物接也，至无而供其求，时骋而要其宿；大小、长短、修远。”

【注释】

①刳（kū）：挖空。②崖异：突出而与众不同。③漻（liáo）：清澈的样子。④采：求，这里指对外物的探取。

【译文】

先生说：“道，可以覆盖万物，十分广阔！君子要敞开心扉，排除杂念。用无为的态度去做事就叫作自然，用无为的态度去说就叫作顺应，给人以爱和给物以利就叫作仁爱，让万物回归于同一那是伟大，行为与众不同那就叫作宽容，内心能够包含万种差异就叫作富有。所以保持自然赋予的禀性就叫纲纪，德行形成就叫作建功济物，遵循大道就叫作修养完备，不会因外物而受挫折这就是完美。君子明白这个道理，也就拥有宽广伟大的心智，像流水一样汇聚到一处，万物归一。像这样，就能藏金于大山，沉珍珠于深渊，不贪图富贵；不以长寿为快乐，不以夭折为悲伤，不以通达为荣耀，不以穷困为羞耻；不把一世名利看作自己的职责，不把统治天下看作是自己的地位。显赫就会彰明，而万物始终都要归一，生死也不存在任何的区别。”

先生还说：“道，它沉寂时就像没入海底，它运动时就像清澈的河流一般。金石制成的钟磬等器物不获取外力就不能鸣响，所以钟磬之类的器物即使存在鸣响的本能，也需要外力敲击。万物这种有感有应的情况谁又能真正认识呢！拥有高尚品德而且位居统治位置的人，应该保持朴素行事而以通晓烦琐的事务为羞耻，立足于真性而智慧通达于神秘的境界。所以他的德行圣明而伟大，他的心志即便显露，也是因为外物的探求才会做出自然的反应。所以说，形体没有道就不会产生生命，生命产生后不顺德就不会明达。保全形体，维系生命，树立盛德，彰明大道，这不就是品德高尚而且位居统治位置的人吗？多么浩渺伟大！他们无心地有所感，他们又无心地有所动，但万物依然跟随着他们！这就是品德高尚而位居于统治位置的人。道，看上去是那么深远缥缈，听起来又是那么寂寥无声。然而深远缥缈中又能看到光明的真迹，寂寥无声中又能听到万窍唱和的共鸣。深邃之中，却能够产生万物，玄妙之中，却能够产生精神。所以道与万物相连，虚寂却又能满足万物的需求，随时都在变化而成为万物的归宿，无论是大小，还是长短，或是深远。”

【原文】

黄帝游乎赤水①之北，登乎昆仑之丘而南望，还②归，遗其玄珠③。使知④索之而不得，使离朱⑤索之而不得，使喫诟⑥索之而不得也。乃使象罔⑦，象罔得之。黄帝曰：“异哉！象罔乃可以得之乎？”

【注释】

①赤水：虚拟的水名。②还：通作“旋”，随即，不久。③玄珠：玄妙的珍珠，喻指道。④知：杜撰的人名，寓含才智、智慧的意思。⑤离朱：人名，寓含善于明察的意思。⑥喫（chī）诟：杜撰的人名，寓含善于闻声辩言的意思。⑦象罔：杜撰的人名，寓含无心的意思。

【译文】

黄帝在赤水的北岸游玩，登上昆仑山朝南观望，不久后返回而丢失玄珠。派才智超群的知也没有找到，派善于明察的离朱去寻找也没有找到，派善于闻声辨言的喫诟去寻找也没有找到。于是最后让无智、无视、无闻的象罔去寻找，而象罔找到了玄珠。黄帝说：“奇怪啊！难道只有象罔才能够找到吗？”

【原文】

尧之师曰许由，许由之师曰啮缺，啮缺之师曰王倪，王倪之师曰被衣。

尧问于许由曰：“啮缺可以配天乎？吾借①王倪以要之。”

许由曰：“殆哉圾乎天下！啮缺之为人也，聪明睿知，给数以敏，其性过人，而又乃以人受天。彼审乎禁过，而不知过之所由生。与之配天乎？彼且乘人而无天。方且本身而异形，方且尊知而火驰，方且为绪使，方且为物絯[②]，方且四顾而物应，方且应众宜，方且与物化而未始有恒。夫何足以配天乎？虽然，有族，有祖，可以为众父，而不可以为众父父。治，乱之率也，北面之祸也，南面之贼也。”

【注释】

①借：借助。②絯（gāi）：束缚。

【译文】

尧的老师是许由，许由的老师是啮缺，啮缺的老师是王倪，王倪的老师是被衣。

尧问许由说：“啮缺能做天子吗？我想请他的老师来让他做天子。”许由说：“那恐怕天下就会危险了！啮缺的为人，耳聪目明，智慧超群，行动办事快捷机敏，他天赋过人，而且用人为的心智强加作用于自然。他懂该怎样防止过失，不过他并不知道过失产生的原因。让他做天子吗？他将会抛弃自然，将会把自身看作万物归向的中心而有意改变万物固有的本性，将会尊崇才智而急切地为其奔走驰逐，将会被琐事驱使，将会被外物拘束，将会环顾四方，目不暇接地跟外物相应接，将会应接万物而又想做到处处合宜，将会参与万物的变化而没有什么准绳。他那样的人怎么能做天子呢？即使这样，有众属又有祖宗，可以成为一方统领，却不能成为一国之君。治理天下，必将使得天下大乱，这就是臣子的灾害，国君的祸根。”

【原文】

尧观乎华[①]。华封[②]人曰：“嘻，圣人！请祝圣人。使圣人寿。”尧曰：“辞[③]。”“使圣人富。”尧曰：“辞。”“使圣人多男子[④]。”尧曰：“辞。”封人曰：“寿、富、多男子，人之所欲也。女独不欲，何邪？”尧曰：“多男子则多惧，富则多事，寿则多辱。是三者，非所以养德[⑤]也，故辞。”

封人曰："始也我以女为圣人邪，今然君子也。天生万民，必授之职。多男子而授之职，则何惧之有！富而使人分之，则何事之有！夫圣人，鹑居而鷇⑥食，鸟行而无彰；天下有道，则与物皆昌；天下无道，则修德就闲；千岁厌世，去而上仙；乘彼白云，至于帝乡；三患莫至，身常无殃，则何辱之有！"封人去之。尧随之，曰："请问。"封人曰："退已！"

【注释】

①华：地名。②封：守护疆界。③辞：谢绝，推辞。④男子：男孩子。⑤所以养德：调养无为之德的办法。⑥鷇（kòu）：初生小鸟。

【译文】

尧在华巡视。在华地守护封疆的人说："圣人！请让我为圣人祝愿吧。祝愿圣人长寿。"尧说："不用这样。""祝愿圣人富有。"尧说："不用这样。""祝愿圣人多男儿。"尧说："不用这样。"守护封疆的人说："寿延、富有和多男儿，这是人们所希望的。你为什么不要呢？"尧说："多个男孩子就多了许多的忧惧，多财物就有很多麻烦，寿命长就会多受困辱。这些方面都对于培养无为的观念和德行没有帮助，所以我不希望拥有。"

守护封疆的人说："以前我把你看作圣人，现在看来，你其实是个君子。苍天让人们都降生在人间，就一定会交给他差事。男孩子多而授给他们的差事也就一定很多，有什么可忧惧的呢！富有了就把财物分给众人，有什么麻烦的呢！圣人就像鹌鹑一样随遇而安，就像待哺雏鸟一样觅食，就像鸟儿在空中飞行没有踪迹；天下太平，就跟万物一起昌盛；天下纷乱，就修身养性；寿延千年而厌恶活在世上，便离开人世升天成仙；驾驭白云，去到天与地交接的地方；寿延、富有、多男儿所导致的多辱、多事、多惧都不会降临在我的身上，身体也不会遭殃；那怎么还会有屈辱呢！"守护封疆的人离开了尧，尧却跟在他的后面，说："希望能得到你的指教。"守护封疆的人说："你还是回去吧！"

【原文】

尧治天下，伯成子高[①]立为诸侯。尧授舜，舜授禹，伯成子高辞为诸侯而耕。禹往见之，则耕在野。禹趋就下风[②]，立而问焉[③]，曰："昔尧治天下，吾子立为诸侯。尧授舜，舜授予，而吾子辞为诸侯而耕。敢问，其故何也？"子高曰："昔尧治天下，不赏而民劝[④]，不罚而民畏。今子赏罚而民且不仁，德自此衰，刑自此立，后世之乱自此始矣。夫子阖[⑤]行邪？无[⑥]落吾事！"俋俋乎[⑦]耕而不顾。

【注释】

①伯成子高：杜撰的人名。②下风：下方。③焉：用同"于之"。④劝：劝勉。⑤阖：通"盍"，怎么不。⑥无：毋，不要。⑦俋（yì）俋乎：用力耕地的样子。

【译文】

唐尧统治天下，伯成子高封为诸侯。尧把帝位让给舜，舜又把帝位传给禹，伯成子高辞去诸侯的事务从事农耕。夏禹前去拜见他，伯成子高正在地里耕作。夏禹快步上前，恭敬地问伯成子高道："当年尧统治天下，先生被封为诸侯。尧把帝位让给舜，舜又把帝位传给我，先生却从事农耕。这是为什么呢？"伯成子高说："当年帝尧统治天下时，不用奖励，而百姓自然勤勉，不用惩罚，人民自然敬畏。现在你施行赏罚，而百姓还是不仁不爱，德行衰败。刑罚建立后，后世的祸乱也就从此开始了。先生你怎么还不离开？不要耽误我的事情啊！"于是低下头去继续耕地而不再理睬他。

【原文】

泰[①]初有无，无有无名；一[②]之所起，有一而未形[③]。物得[④]以生，谓之德；未形者有分，且然无间，谓之命；留动而生物，物成生理[⑤]，谓之形；形体保神，各有仪则，谓之性。性修反德，德至同于初。同乃虚，虚乃大。合喙鸣；喙[⑥]鸣合，与天地为合。其合缗缗[⑦]，若愚若昏，是谓玄德，同乎大顺。

【注释】

①泰：同“太”。②一：指出现存在的初始形态。③未形：没有形成形体。④得：自得。⑤生理：生命的机理。⑥喙（huì）：鸟兽的嘴。⑦缗（mín）缗：无心的样子。

【译文】

宇宙源起于“无”，什么都没有也就不存在名称；混一的状态就是宇宙的开始，不过混一的时候，万物还没有形体。万物从混一的状态中产生，这就叫作自得；未形成形体时，禀受的阴阳之气已经开始有区别了，不过阴阳的交合是这样吻合，这就叫作天命；阴气滞留，阳气运动，才能生成万物，万物生成生命的机理，这就叫作形体；形体守护着精神，各有各的轨迹与法则，这就叫作本性。善于修身养性就能返归自得，自得的程度达到完美的境界，像宇宙刚开始一样，心胸就会无比豁达，心胸无比豁达就会包容。混同合一之时说起话来就和鸟鸣一样，无心参与是非，说话像鸟鸣一样没有区别，则与天地融合。混同在一起是那么不露踪迹，就好像蒙昧又好像昏暗，这就叫大道，也就如同返回本真而一切归于自然一样。

【原文】

夫子[①]问于老聃曰：“有人治道若相放[②]，可不可，然不然。辩者有言曰：‘离[③]坚白，若县寓。’若是则可谓圣人乎？”老聃曰：“是胥[④]易技系、劳形怵心者也。执留[⑤]之狗成思，猿狙[⑥]之便自山林来。丘，予告若，而所不能闻与而所不能言。凡有首有趾[⑦]无心无耳者众，有形者与无形无状而皆存者尽无。其动止也，其死生也，其废起也，此又非其所以也。有治在人，忘乎物，忘乎天，其名为忘己。忘己之人，是之谓入于天。”

【注释】

①夫子：这里指孔丘。②放：逆背。③离：分。④胥：通“谞”，指具有一定智巧的小吏。⑤执留：即竹鼠。⑥猿狙：猿猴。⑦有首有趾：头脚俱全，指业已成形。

【译文】

孔子向老聃请教说："有人研修大道却好像与大道相背离，把不能确定的看作是可以确定的，把错的认为是对的。善于辩论的人说：'分析石的质坚和色白，就好像高悬于天宇那样明白。'像这样的人可以称作圣人吗？"老聃说："这只不过是聪明的小吏在职时为技艺所拘系，劳形劳心而已。善于捕猎的狗会受到束缚，猿猴因为行动便捷以至于被人从山林里捕捉到。孔丘，我告诉你听不见而又说不出的道理。人有了头和脚等具体的形体而无知无闻的很多，有形体的人和没有形体的道并存的情形却完全没有。运动或是静止，死亡或是生存，衰废或是兴盛，这些情况全都出于自然，是不可探知的。如果真的存在至理，那也是人们遵循本性和真情的活动而已。忘掉一切，忘掉自己的人，就能与自然融为一体。

【原文】

将闾葂见季彻①曰："鲁君谓葂也曰：'请受教。'辞不获命②，既已告矣，未知中否③，请尝荐④之。吾谓鲁君曰：'必服⑤恭俭，拔⑥出公忠之属而无阿私，民孰敢不辑⑦！'"季彻局局然⑧笑曰："若夫子之言，于帝王之德犹螳螂之怒臂以当车轶⑨，则必不胜任矣。且若是，则其自为处危⑩，其观台，多物将往，投迹者众。"

将闾葂觑觑然⑪惊曰；"葂也汒⑫若于夫子之所言矣。虽然，愿先生之言其风也。"季彻曰："大圣之治天下也，摇荡民心，使之成教易俗，举灭其贼心而皆进其独志，若性之自为，而民不知其所由然。若然者，岂兄尧舜之教民，溟涬然弟之哉？欲同乎德而心居矣。"

【注释】

①将闾葂（miǎn）、季彻：均为人名。②获命：获得允诺。③中否：说对了还是没说对。④荐：进献。⑤服：亲身实践。⑥拔：举荐，提拔。⑦辑：和睦。⑧局局然：俯身而笑的样子。⑨轶：通"辙"，车轮印。⑩自为处危：让自己处于高危的境地。⑪觑（xì）觑然：惊慌的样子。⑫汒（máng）：茫昧无知。

【译文】

将闾葂拜见季彻说："鲁国国君对我说：'请给予教导。'我一再推辞，可是鲁君不答应，我已经对他说了，不知道对还是不对，请让我说给你听。我对鲁国国君说：'你必须实行恭敬和节俭，选拔出公正、忠诚的臣子管理政务而不偏私，这样百姓都会和睦！'"季彻听了后俯身大笑说："像你说的这些话，对于帝王的准则，恐怕就像是螳臂当车一样，不行。况且如果这样，就会把自己置于危险的境地，就像那楼台，上面载着许多法律条文，投向那里的人也必然很多。"

将闾葂吃惊地说："我对于先生的话感到茫然。希望先生谈谈大概。"季彻说："伟大的圣人治理天下，让民心不受拘束，使他们在教化方面各有所成，在陋习方面各有所改，消除伤害他人的用心以增进自我教化的思想，就像本性在驱使他们活动一样，而人们并不知道原因。像这样，难道还用得着尊崇尧舜对人民的教导，而糊里糊涂地甘拜下风吗？希望天下人都有共同的德行而让内心得以安定。"

【原文】

子贡南游于楚，反于晋，过汉阴，见一丈人方将为圃畦，凿隧而入井，抱瓮而出灌，搰搰然[①]用力甚多而见功寡。子贡曰：有械于此，一日浸百畦，用力甚寡而见功多，夫子不欲乎？"为圃者卬[②]而视之曰；"奈何？"曰："凿木为机，后重前轻，挈水若抽。数[③]如泆汤，其名为槔。"为圃者忿然作色而笑曰："吾闻之吾师，有机械者必有机事，有机事者必有机心。机心存于胸中，则纯白不备；纯白不备，则神生不定；神生不定者，道之所不载也。吾非不知，羞而不为也。"子贡瞒然惭，俯而不对。

有间，为圃者曰："子奚为者邪？"曰："孔丘之徒也。"为圃者曰："子非夫博学以拟圣，於于以盖众，独弦哀歌以卖名声于天下者乎？汝方将忘汝神气，堕汝形骸，而庶几乎。而身之不能治，而何暇治天下乎！子往矣，无乏吾事！"

子贡卑陬[4]失色，顼顼然[5]不自得，行三十里而后愈。其弟子曰："向之人何为者邪？夫子何故见之变容失色，终日不自反邪！"曰："始吾以为天下一人耳，不知复有夫人也。吾闻之夫子，事求可，功求成。用力少，见功多者，圣人之道。今徒不然。执道者德全，德全者形全，形全者神全。神全者，圣人之道也。托生与民并行而不知其所之，汒乎淳备哉！功利机巧必忘夫人之心。若夫人者，非其志不之，非其心不为。虽以天下誉之，得其所谓，謷[6]然不顾；以天下非之，失其所谓，傥然[7]不受。天下之非誉，无益损焉，是谓全德之人哉！我之谓风波之民。"

反于鲁，以告孔子。孔子曰："彼假修浑沌氏之术者也；识其一[8]，不知其二[9]；治其内，而不治其外。夫明白入素，无为复朴，体性抱神，以游世俗之间者，汝将固惊邪？且浑沌氏之术，予与汝何足以识之哉！"

【注释】

①搰（gǔ）搰然：用力的样子。②卬：亦作"仰"，抬起头。③数：频繁，引申为快速。④卑陬（zōu）：惭愧不安的样子。⑤顼（xū）顼然：低垂着头的样子。⑥謷（ào）：通"傲"，孤高。⑦傥然：无动于衷的样子。⑧识其一：意思是懂得自古不移、纯真合一的道理。⑨不知其二：意思是不了解顺合时势、适应变化的道理。

【译文】

子贡到楚国游历，返回晋国后，经过汉水的南沿，见一老人正在菜园里整地，打了一条地道通到井边，抱着水瓮浇水灌地，十分吃力却没有成效。子贡见了说："如今有一种机械，每天可以浇灌上百个菜畦，而且不费力，老先生你不想试试吗？"种菜的老人抬起头来看着子贡说："那应该怎么做呢？"子贡说："用木料加工成机械，后重而前轻，提水就很方便，它的名字叫作桔槔。"种菜的老人讥笑说："我的老师说，有了机械之类的物品就会出现机巧之类的事情，有了机巧之类的事情就一定会出现机变的心思。机变的心思存留在心里，那么没有受到过世俗沾染的心境就不完整；纯洁空明的心境不完备，那么精神就不会专一；精神不能专一的人，大道也就不能充实他的内心。我知道你所说的办法，只不过感到羞辱而不愿那样做而已。”子贡满面羞愧，低下头去不能作答。

隔了一会儿，种菜的老人说：“你是做什么的？”子贡说：“我是孔丘的学生。”种菜的老人说：“你不就是那处处仿效圣人，夸诞矜持超过众人，自唱自和哀叹世事之歌以周游天下来卖弄名声的人吗？你如果抛弃你的精神和志气，废置你的身形体骸，就可以逐步接近于道了。你自身都不善于修养和调理，还怎么去治理天下呢！你走吧，不要在这里耽误我了！”

子贡大感惭愧，怅然若失很不自在，走出三十里以外的地方才逐渐恢复常态。子贡的弟子问道：“先前那个人是做什么的呀？先生为什么见到他就面容大变，一整天都没有恢复常态呢？”子贡说：“我总认为天下的圣人就只有我的老师孔丘一个人而已，不知道还会有刚才那样的人。我的老师说，办事要寻求可行的办法，用功要追寻成就；用的力气要少，获得的效果要明显，这就是圣人之道。现在竟然不是这样。持守大道的人德行才完整，德行完整的人身形才会完整，身形完整的人精神才能健全。精神健全才是圣人之道。这样的人，他们寄托形骸于世间，与万民生活在一起，却不知道自己应该去哪，内心世界深不可测，德行纯朴而又完整！功利机巧一定不会放在他们那种人的心上。像那样的人，只要不同于自己的心志就不会去追求，不符合自己的思想就不会去做。即使让天下人都称誉他，称誉的言辞合乎他的德行，他也不会在乎；即使让天下人都非议他，非议使得他的名声丧失，他也无动于衷不去理睬。无论天下人非议还是赞誉，对于他们来说都没有分别，这就叫作德行完整的人啊！我只是心神不定被世俗尘垢所沾染的人。”

子贡回到鲁国后，就把路上遇到的情况告诉给孔子。孔子说：“那是修行浑沌氏道术的人，他们持守内心的纯一，心神不外分；修养内心，而不求于外在。如此明澈素洁，无为返朴，领悟真性保持精神，自得地生活在世俗之中的人，你怎么会不感到惊异呢？何况浑沌氏的主张和修养方法，我和你又怎么能了解呢？”

【原文】

谆芒将东之大壑，适遇苑风于东海之滨。苑风曰：“子将奚之？”曰：“将之大壑。”曰：“奚为焉？”曰：“夫大壑之为物也，注焉而不满，酌焉而不竭，吾将游焉。”

苑风曰：“夫子无意于横目之民乎？愿闻圣治。”谆芒曰：“圣治乎？官施而不失其宜，拔举而不失其能，毕见其情事而行其所为，行言自为而天下化，手挠顾指，四方之民莫不俱至，此之谓圣治。”“愿闻德人。”曰：“德人者，居无思，行无虑，不藏是非美恶。四海之内共利之之谓悦，共给之之谓安；怊[①]乎若婴儿之失其母也，傥乎若行而失其道也。财用有余而不知其所自来，饮食取足而不知其所从，此谓德人之容。”“愿闻神人。”曰：“上神乘光，与形灭亡，此谓照旷。致命尽情，天地乐而万事销亡，万物复情，此之谓混冥。”

门无鬼与赤张满稽观于武王之师。赤张满稽曰：“不及有虞氏乎，故离此患也。”门无鬼曰：“天下均治而有虞氏治之邪？其乱而后治之与？”

赤张满稽曰：“天下均治之为愿，而何计以有虞氏为！有虞氏之药疡[②]也，秃而施髢[③]，病而求医。孝子操药以修慈父，其色燋然[④]，圣人羞之。至德之世，不尚贤，不使能；上如标枝，民如野鹿；端正而不知以为义，相爱而不知以为仁，实而不知以为忠，当而不知以为信，蠢动而相使，不以为赐。是故行而无迹，事而无传。”

孝子不谀其亲，忠臣不谄其君，臣子之盛也。亲之所言而然，所行而善，则世俗谓之不肖子；君之所言而然，所行而善，则世俗谓之不肖臣。而未知此其必然邪？世俗之所谓然而然之，所谓善而善之，则不谓道谀之人也。然则俗故严于亲而尊于君邪？谓己道人，则勃然作色；谓己谀人，则怫然作色。而终身道人也，终身谀人也，合譬饰辞聚众也，是终始本末不相坐。垂衣裳，设采色，动容貌，以媚一世，而不自谓道谀，与夫人之为徒，通是非，而不自谓众人，愚之至也。知其愚者，非大愚也；知其惑者，非大惑也。大惑者，终身不解；大愚者，终身不灵。三人行而一人惑，所适者犹可致也，惑者少也；二人惑则劳而不至，惑者胜也。而今也以天下惑，予虽有祈向，不可得也，不亦悲乎！

大声不入于里耳，折杨皇荂[⑤]，则嗑然而笑。是故高言不止于众人之心，至言不出，俗言胜也。以二缶钟惑，而所适不得矣。而今也以天下惑，予虽有祈向，其庸可得邪！知其不可得也而强之，又一惑也，故莫若释之而不推。不推，谁其比忧！厉之人夜半生其子，遽取火而视之，汲汲然唯恐其似己也。

百年之木，破为牺尊，青黄而文之，其断在沟中。比牺尊于沟中之断，则美恶有间矣，其于失性一也。跖与曾史，行义有间矣，然其失性均也。且夫失性有五：一曰五色乱目，使目不明；二曰五声乱耳，使耳不聪；三曰五臭熏鼻，困惾[⑥]中颡；四曰五味浊口，使口厉爽；五曰趣舍滑心，使性飞扬。此五者，皆生之害也。而杨墨乃始离跂自以为得，非吾所谓得也。夫得者困，可以为得乎？则鸠鸮之在于笼也，亦可以为得矣。且夫趣舍声色以柴其内，皮弁鹬冠搢笏绅修以约其外，内支盈于柴栅，外重纆缴[⑦]，睆睆然[⑧]在纆缴之中而自以为得，则是罪人交臂历指而虎豹在于囊槛，亦可以为得矣。

【注释】

①怊（chāo）：惆怅。②疡（yáng）：头疮。③髢（dí）：假发。④燋（qiáo）然：憔悴的样子，表示忧虑。⑤折杨皇荂（huā）：折杨、皇荂都是通俗的乐曲名。⑥困惾（zōng）：闷塞。⑦缴：缠绕。⑧睆（huǎn）睆然：睁着眼睛的样子。

【译文】

谆芒向东到大海去，在东海之滨遇到苑风。苑风问道："你要去哪里？”谆芒说：“打算去大海那边。”苑风又问：“去做什么呢？”谆芒说：“大海是一种物象，流注不会让它盈满，取出也不会让它亏缺，我将要去游历。”

苑风说：“那么，先生不关心百姓吗？希望能听您谈谈圣人之治。”谆芒说：“圣人之治吗？设置官吏、施布政令但要处处得体；举贤任才而不会遗忘任何一个能人，让每个人都能看清事情的真实情况才去做自己应该做的事，行为和谈吐每个人都能自觉顺化，挥手示意，四方的百姓都会聚而来，这是圣人之治。”苑风说：“希望能再听听什么是德人。”谆芒说：“德人，安居没有思索，行动没有谋虑，心里不存在是非美丑。四海之内每个人共得其利就是喜悦，人人共享财富就是安定；悲伤时的样子像婴儿失去了母亲，那怅然若失的样子又像行路时迷失了方向。财货有余却不知道从哪里得来，饮食充足却不知道从哪儿获取。这就是德人才有的仪态举止。”苑风说：“希望再能听听什么是神人。”谆芒说：“精神超脱万物，跟所有事物的形迹一起消失，这就叫普照万物。穷尽天命发挥性情，与天地同乐，所以万事都自然消亡，万物也就自然恢复真情，这就叫混同玄合，没有差异。”

门无鬼与赤张满稽观看武王伐纣的部队。赤张满稽说：“周武王比不上有虞氏啊！所以天下遭遇这样的祸患。”门无鬼说：“天下太平无事而后有虞氏才去治理，还是等天下动乱才去治理呢？”

赤张满稽说：“天下太平是人们的心愿，又为什么还要考虑有虞氏的盛德而推举他为国君呢！有虞氏治乱，就像头生了疮才治疗，秃顶了才用假发，有了疾病才会去求医问诊。孝子操办药物用来调治父亲的疾病，他的面容那么憔悴，这就说明孝顺不够，圣人为之感到羞耻。盛德的时代，不崇尚贤才，不任使能人；国君居于上位就像树顶高枝无心在上而自然居于高位，百姓却像野鹿一样无所拘束；行为端正却不把它看作道义，相互友爱却不把它看作仁爱，敦厚老实却不把它看作忠诚，办事得当却不把它看作信义；无心地活动而又相互支使却不把它看作恩赐。所以行动之后没有留下痕迹，事成之后不会留传后代。”

孝子不奉承他的父母，忠臣不谄媚他的国君，这是尽忠尽孝的极点。凡是父母所说的便都加以肯定，父母所做的便都加以称赞，那就是不肖之子；凡是君王所说的就都加以应承，君王所做的就都加以奉迎，那就是不良之臣。可是人们不了解，世俗的观点就一定是正确的吗？而世俗人所谓对的就把它当作是对的，世俗人所谓好的便把它当作是好的，却不称他们是谄媚之人。这样看来，世俗的观念和看法岂不比父母更可崇敬、比君王更加值得尊崇了吗？说自己是个谄媚的人，就一定会勃然大怒；说自己是个阿谀的人，也定会愤恨填胸。可是一辈子谄媚的人，一辈子阿谀的人，又只不过看作是博取众人的欢心而已，这样，终结和初始、根本和末节全都不能吻合。打扮艳丽的人讨好世人，却不自认为那就是谗谄与阿谀，与世俗人为伍，从不把自己看作是普通的人，这真是愚昧到了极点。知晓自己愚昧的人，知道自己迷惑的人，都不是最迷惑的人。最迷惑的人，一辈子也不会醒悟；最愚昧的人，一辈子也不会明白。三人中有一个人迷惑，还可以到达所要去的地方，因为迷惑少；三人中有两个人迷惑，那就是徒劳了，因为迷惑占有优势。如今天下人全都迷惑，我即使祈求导向，也没有帮助，这不令人可悲吗？

高雅的音乐，世俗人不可能会欣赏，《折杨》《皇华》之类的小曲，世俗人听了都会欣然而笑。所以高雅的谈吐不会留在世俗人的心里，而至理名言也不会从世俗人的口中说出，因为流俗的言谈占了优势。让其中两个人迷惑并弄错方向，所要去的地方就不可能到达。现在天下的人都大惑不解，我即使寻求导向，又怎么可能到达呢！明知做不到却还要去做，这又是一大迷惑，所以不如不去追究。不去寻根究底，谁也没有那么多忧愁！丑陋的人半夜里生下孩子，立即拿过火来照看，就怕生下的孩子像自己一样丑陋。

百年的大树，做成酒器，再用青、黄二色彩绘出美丽的花纹，把余下的断木丢弃在山沟里。雕刻成精美酒器的一段木料比起弃置在山沟里的其余木料，命运就有了差别，但在失去了原有的本性这一点上是一样的。盗跖与曾参、史鳝，行为和道义上存在着差别，然而他们失却人所固有的真性也是一样的。丧失真性有五种情况：一是五种颜色扰乱视觉，二是五种乐音扰乱听力，三是五种气味熏扰嗅觉，四是五种滋味秽浊味觉，五是取舍的欲念迷乱心神。这五种情况，都是生命的祸害。可是，杨朱、墨翟还在奋力追求而自以为有所得，这并不是我所说的自得。有所得反而会被围困，也能说是有所得吗？那么，斑鸠鸮鸟被关在笼中，也算是自得了。何况取舍于声色的欲念像柴草一样堆满内心，皮帽羽冠、朝板、宽带和长裙捆束于外，内心里充满柴草栅栏，外表上被绳索围困，却瞪着大眼在绳索束缚中自以为有所得，那么罪犯受到严惩的酷刑，以及虎豹被关在牢笼中，也可以算是自得了。

天道

【题解】

所谓“天道”，也就是自然的规律，不可抗拒，也不可改变。本篇论述天道及其与人道的关系，并从天道的秩序来论证人伦秩序的合理性。

【原文】

天道运而无所积，故万物成[①]；帝道运而无所积，故天下归；圣道运而无所积，故海内服。明于天，通于圣，六通四辟于帝王之德者，其自为也，昧然[②]无不静者矣。圣人之静也，非曰静也善，故静也；万物无足以铙[③]心者，故静也。水静则明烛须眉，平中准，大匠取法焉。水静犹明，而况精神！圣人之心静乎！天地之鉴也；万物之镜也。夫虚静恬淡寂漠无为者，天地之平[④]而道德之至，故帝王圣人休焉。休则虚，虚则实，实则伦矣。虚则静，静则动，动则得矣。静则无为，无为也则任事者责矣。无为则俞俞[5]，俞俞者忧患不能处，年寿长矣。夫虚静恬淡寂漠无为者，万物之本也。明此以南乡，尧之为君也；明此以北面，舜之为臣也。以此处上，帝王天子之德也；以此处下，玄圣素王之道也。以此退居而闲游，江海山林之士服；以此进为而抚世，则功大名显而天下一也。静而圣，动而王，无为也而尊，朴素而天下莫能与之争美。

【注释】

①成：生成。②昧然：昏昏然，不知不觉的样子。③铙：通“挠”，扰乱。④平：准则。⑤俞俞：即“愉愉”，从容愉快的样子。

【译文】

自然规律的运行从不会停留和积滞，所以万物得以生成；帝王统治的规律也从不会停留和积滞，所以百姓得以归顺；圣明的人对宇宙万物的看法和主张也不曾中断和停留，所以四海之内人人倾心折服。明白自然，通晓圣哲，对于了解帝王道德的人来说，四方相通和四季畅达，都是自身的运动，不露形迹，从不损伤静寂的心境。圣明的人内心宁寂，所以去追求宁寂；各种事物都不能扰乱他的内心，因而心神才虚空宁寂就像死灰一样。水静止时清晰地照见人的须眉，水的平面合乎水平测定的标准，高明的工匠也会取之作为准绳。水平静下来尚且清澄明澈，又何况是人的精神呢！圣明的人心境是那么宁静！可以作为天地的明镜，也可以作为万物的明镜。虚静、恬淡、寂寞、无为，是天地的准绳，是道德修养的最高境界，所以古代帝王和圣明的人都停留在这一境界上。停留在这一境界上便心境空明，空灵也就会显得充实，心境充实就能符合自然之理。心境虚空才能平静，平静才能自我运动，没有任何干扰地自我运动也就能够无不有所得。虚静便可以无为，无为可以让人各尽其责。无为也就可以从容自得，从容自得的人就不会有忧愁与祸患，年寿也就长久了。虚静、恬淡、寂寞、无为，是万物的根本。明白这个道理而且位居帝王之位的，唐尧就是这样的国君；明白这个道理而居臣下之位的，虞舜就是这样的臣属。因此而处于尊上的地位，就是帝王治世的盛德；因此而处于庶民百姓的地位，就是通晓了玄圣素王的看法和主张。因此而退居闲游，江海、山林的隐士就倾心折服；因此进身仕林而安抚百姓，就能功业卓著，名扬四海而使得天下大同。清静而成为玄圣，行动而成为帝王，无为才能取得尊尚的地位，保持素朴的天性天下就没有事物能与他媲美。

【原文】

夫明白于天地之德者，此之谓大本大宗，与天和者也；所以均调天下，与人和者也。与人和者，谓之人乐；与天和者，谓之天乐。

庄子曰："吾师乎！吾师乎！𩐋万物而不为戾①，泽及万世而不为仁，长于上古而不为寿，覆载天地、刻雕众形而不为巧，此之谓天乐。故曰：'知天乐者，其生也天行，其死也物化。静而与阴同德，动而与阳同波。'故知天乐者，无天怨，无人非，无物累，无鬼责。故曰：'其动也天，其静也地，一心定而王天下；其鬼不祟，其魂不疲，一心定而万物服。'言以虚静推于天地，通于万物，此之谓天乐。天乐者，圣人之心，以畜天下也。"

夫帝王之德，以天地为宗，以道德为主，以无为为常。无为也，则用天下而有余；有为也，则为天下用而不足。故古之人贵夫无为也。上无为也，下亦无为也，是下与上同德，下与上同德则不臣；下有为也，上亦有为也，是上与下同道，上与下同道则不主。上必无为而用天下，下必有为为天下用，此不易之道也。故古之王天下者，知虽落天地，不自虑也；辩虽雕万物，不自说也；能虽穷海内，不自为也。天不产而万物化，地不长而万物育，帝王无为而天下功。故曰莫神于天，莫富于地，莫大于帝王。故曰帝王之德配天地。此乘天地驰万物，而用人群之道也。

本在于上，末在于下；要在于主，详在于臣。三军五兵之运，德之末也；赏罚利害，五刑之辟，教之末也；礼法度数，形名比详，治之末也；钟鼓之音，羽旄[2]之容，乐之末也；哭泣衰绖[3]，隆杀之服，哀之末也。此五末者，须精神之运，心术之动，然后从之者也。

末学者，古人有之，而非所以先[4]也。君先而臣从，父先而子从，兄先而弟从，长先而少从，男先而女从，夫先而妇从。夫尊卑先后，天地之行也，故圣人取象焉。天尊地卑，神明之位也；春夏先，秋冬后，四时之序也。万物化作，萌区有状，盛衰之杀，变化之流也。夫天地至神，而有尊卑先后之序，而况人道乎！宗庙尚亲，朝廷尚尊，乡党尚齿，行事尚贤，大道之序也。语道而非其序者，非其道也；语道而非其道者，安取道哉！

是故古之明大道者，先明天而道德次之，道德已明而仁义次之，仁义已明而分守次之，分守已明而形名次之，形名已明而因任次之，因任已明而原省次之，原省已明而是非次之，是非已明而赏罚次之。赏罚已明而愚知处宜，贵贱履位，仁贤不肖袭情。必分其能，必由其名。以此事上，以此畜下，以此治物，以此修身；知谋不用，必归其天，此之谓太平，治之至也。

故书曰："有形有名。"形名者，古人有之，而非所以先也。古之语大道者，五变而形名可举，九变而赏罚可言也。骤而语形名，不知其本也；骤而语赏罚，不知其始也。倒道而言，迕[5]道而说者，人之所治也，安能治人！骤而语形名赏罚，此有知治之具，非知治之道；可用于天下，不足以用天下，此之谓辩士，一曲之人也。礼法数度，形名比详，古人有之，此下之所以事上，非上之所以畜下也。

【注释】

①戾：高。②旄：兽毛。③衰绖（dié）：都指丧服。绖，麻冠带。④先：根本。⑤迕：反。

【译文】

懂得天地以无为为本的规律，这就叫作把握了根本和原则，就能成为与自然谐和的人；用此来均平万物，便能与众人谐和。与人和谐，称作人乐；与自然和谐，就称作天乐。

庄子说：“我的老师啊！我的老师啊！协调万物而不自以为是，恩泽万世不算仁慈，长于上古不算长寿，承载天地、雕刻众物之形而不显露技巧，这就叫作天乐。所以说：‘知天乐的人，他存在的时候顺乎自然，他死了便与外物融和。静时与阴气同隐寂，动时与阳气同波动。’所以知天乐的人，没有天怨，没有人怪，没有东西牵累，没有鬼神责备。所以说：‘动时如天运转，静时如地寂然，一心安定而天地正位，身体无病患，精神不疲乏，内心安定而万物归服。’以虚静推及天地，通达于万物，这就叫作天乐。所谓天乐，就是用圣人的心智，培养天下之人。”

君王的品德，以天地为立足之本，以道德为核心，以顺其自然为所遵循的常规。君王无为，让天下人有自己的闲暇时间；臣子有为，为天下事竭心尽力还恐怕不足。因此，古人都看重君王的无为态度。身在高位的君王无为，居于下位的臣子也无为，这样臣子跟君王的态度就相同了，那么臣子就不像臣子了；居于下位的臣子有为，处于上位的君王也有为，这样君王跟臣子的做法就相同了，那么君王就不像君王了。君王必须无为方才能治理天下，臣子必须有为而为天下尽心，这是天经地义再正常不过的规律。因此，古代治理天下的君王，智慧即使能覆盖天地，也从不亲自去做事；口才即使能周遍万物，也从不亲自去讨论；才干即使能纵横海内，也从不事必躬亲。上天并不执意要形成什么，但万物却自然变化而形成；大地并不执意要长出什么，但是万物却自然繁衍生长；君王能够无为天下就会自然得到治理。因此，没有什么比上天更为灵妙，没有什么比大地更为富饶，没有什么比君王更为伟大。因此说君王的德行能跟天地相比。这就是驾驭天地、掌管万物而任用贤臣的方略。

道德留存于上古，仁义则推行于现今；治世的纲领掌握在君王手中，繁杂的事务留在臣子的使命里。武力的施用，这是道德衰败的表现；奖赏处罚以及施行各种刑法，是社会衰败的表现；礼仪法度的规定，对事物的比较和评判，这是治理衰败的表现；钟鼓之音，以鸟羽兽毛装饰的舞蹈，这是声乐礼仪衰败的表现；痛哭流涕披麻戴孝，或隆重或简单的丧服，这是哀伤不能自然流露的表现。这五种微末之举，须要精神的自然运行和心智的正常活动，方能排除矫揉造作，方能率性而为。

追求这种细枝末节，古人就有了，但这并不是事情的本质。国君为主而臣下为辅，父亲为主而子女为辅，兄长为主而弟弟为辅，年长为主而年少为辅，男子为主而妇女为辅，丈夫为主而妻子为辅。尊卑、先后，这都是天地运行的规律，因此古代圣人把它沿袭下来。上天尊贵，大地卑下，这是神明的次序；春夏在先，秋冬在后，这是四季的次序。万物变化而生，萌生之初便千差万别；盛与衰的次第是事物变化的区分。天与地是最为神圣而又奇妙的，它尚且存在尊卑、先后的次序，何况是天下的治理呢！宗庙崇尚血缘，朝廷崇尚高贵，村落崇尚年长，办事崇尚贤能，这是永恒的大道所安排下的秩序。谈论大道却诋毁大道之下的秩序，就不是真的推崇大道；谈论大道却诋毁体悟大道的人，怎么能领会大道真正的精神含义呢！

所以古代通晓大道的人，先阐明自然的规律而道德次之，道德已经明确而仁义次之，仁义已经明确而职责次之，职责已经明确而形名次之，事物的名称已经明确而责任次之，责任已经明确而考察次之，考察已经明确而是非次之，是非已经严明而赏罚次之。赏罚明确则愚钝和聪慧的人都能和睦相处，贵贱各司其职，仁贤与不贤的人都根据实情恰当安排。必须区分各自不同的才能，遵从各自不同的名分。用这样的办法来侍奉帝王，用这样的办法来养育百姓，用这样的办法来管理万物，用这样的办法来修养自身，不使用智谋，必定归顺自然。这叫作天下太平，这才是治理天下的最高境界。

所以古书说："有形体，有名称。"区分事物的形体和名称，古人就这样做，但并非把形名观念放在首位。古时谈论大道的人，说明了事物发展的五个阶段才可以称述形体和名称，经过九个阶段才能谈论赏罚问题。唐突地谈论形名问题，不可能了解其根本；唐突地讨论赏罚问题，不可能知道它的起源。颠倒这种顺序或违反顺序的人只能被别人统治，如何去统治别人？唐突讨论形名赏罚，即使拥有治世的工具，也不可能明白治世的规律；可以被统治，却不能统治天下。这种人只是口头上的辩士，是个一管之见的人。礼仪法规计数度量，对事物的形体和名称比较和审定，古人就有这样做的，这是臣下侍奉帝王，而不是帝王养育臣下啊。

【原文】

昔者舜问于尧曰："天王[1]之用心何如？"尧曰："吾不敖无告，不废[2]穷民，苦[3]死者，嘉孺子而哀妇人。此吾所以用心已。"舜曰："美则美矣，而未大也。"尧曰："然则何如？"舜曰："天德而出宁，日月照而四时行，若昼夜之有经[4]，云行而雨施矣。"尧曰："胶胶扰扰乎！子，天之合也；我，人之合也。"夫天地者，古之所大也，而黄帝尧舜之所共美也。故古之王天下者，奚为哉？天地而已矣。

【注释】

①天王：天子。②废：遗弃。③苦：哀怨。④经：常则，规律。

【译文】

以前舜曾向尧问道："你是怎么做天子的呢？"尧说："我从不亏待百姓，也不抛弃穷苦的人民，为死者焦虑，善待留下的幼子，可怜妇人。这些就是我用心的方式。"舜说："这样做很好，不过还不够伟大。"尧说："那要怎么办？"舜说："自然形成的，像日月照耀，四季交替，昼夜更替，形成常规，像云彩随风飘动，雨点湿润万物。"尧说："原来我整日里都是纷扰！你与自然相合，我和人事相合。"天和地，自古以来是最伟大的，黄帝、尧、舜都共同赞美它。所以，古时候统治天下的人做些什么呢？都是效仿天地罢了。

【原文】

孔子西藏书于周室。子路谋曰："由闻周之征藏史有老聃者，免而归居，夫子欲藏书，则试往因焉。"孔子曰："善。"

往见老聃，而老聃不许，于是缙[1]十二经以说。老聃中其说，曰："大谩，愿闻其要。"孔子曰："要在仁义。"老聃曰："请问，仁义，人之性邪？"孔子曰："然。君子不仁则不成，不义则不生。仁义，真人之性也，又将奚为矣？"老聃曰："请问，何谓仁义？"孔子曰："中心物恺，兼爱无私，此仁义之情也。"老聃曰："意，几乎后言。夫兼爱，不亦迂乎？无私焉，乃私也。夫子若欲使天下无失其牧[2]乎？则天地固有常矣，日月固有明矣，星辰固有列矣，禽兽固有群矣，树木固有立矣。夫子亦放德而行，循道而趋，已至矣；又何偈偈[3]乎揭仁义，若击鼓而求亡子焉？意，夫子乱人之性也！"

【注释】

①缙（fán）：演绎。②牧：养育。③偈偈：用尽气力的样子。

【译文】

孔子想把书保存到周王室。子路出主意说："我听说周王室的史官老聃，已经回到家乡隐居，先生想要藏书，不妨经过他家的时候问问他的意见。"孔子说："好。"

孔子前去拜见老聃，老聃对孔子的问题没有回答，于是孔子翻阅众多经书反复解释。老聃打断了孔子的解释，说："你说得太复杂，我想听听它们的要领。"孔子说："重点就在于仁义。"老聃说："请问仁义就是人的本性吗？"孔子说："是的。君子不仁，名声就无法得以成就，如果不义，就不能在社会上立足。仁义的确是人的本性，没有了仁义又能干些什么呢？"老聃说："再请问什么叫作仁义？"孔子说："中正而且与外物和悦，兼爱没有偏私，这就是仁义。"老聃说："你说的这些几乎都是浮华的言辞。做到兼爱天下，那不是太迂腐了吗？对人无私，是为了让更多的人偏爱自己。你是想让天下的人都不失去养育自身的条件吗？那么，天地原本就存在自己的规律，日月本身就存在光亮，星辰原本就有属于自己运行的位置，禽兽原本就有各自的群体，树木原本就直立在地面生长。先生你还是依循自然的状态行事，顺着规律去进取，就是最好的了。又何必急切地标榜仁义，这岂不就像是打着鼓去寻找逃亡的人一样，鼓声越大人跑得越远吗？先生这是扰乱了人的本性啊！”

【原文】

士成绮见老子而问曰：“吾闻夫子圣人也，吾固不辞远道而来愿见，百舍重趼①而不敢息。今吾观子，非圣人也。鼠壤而余蔬，而弃妹之者，不仁也，生熟不尽于前，而积敛无崖。”老子漠然不应。

士成绮明日复见，曰：“昔者吾有刺②于子，今吾心正却矣，何故也？”老子曰：“夫巧知神圣之人，吾自以为脱焉。昔者子呼我牛也而谓之牛，呼我马也而谓之马。苟有其实，人与之名而弗受，再受其殃。吾服也恒服，吾非以服有服。”士成绮雁行避影，履行遂进而问，“修身若何？”老子曰：“而容崖然，而目冲然，而颡頯然，而口阚然③，而状义然，似系马而止也。动而持④，发也机，察而审，知巧而睹于泰，凡以为不信⑤。边竟有人焉，其名为窃。”

【注释】

①趼（jiǎn）：通“茧”，脚掌因走路摩擦而生成的硬皮。②刺：讽刺。③阚（kǎn）然：张口动唇的样子。④持：矜持。⑤信：信实。

【译文】

士成绮见到老子而问道：“听说先生是个圣人，我不远千里来这，一心希望能见到你，走了上百天，即使脚掌结上老茧也不敢停下来休息。可我观察先生，竟不像是个圣人。老鼠洞里掏出的泥土中也会有许多余剩的食物，看轻并随意抛弃这些物品，不符合仁的要求；面前生的熟的食物享用不尽，而聚集财富也没有限度。”老子好像没有听见一样也不回答。

第二天，士成绮再次见到老子，说：“昨日我用言语刺伤了你，今天我已有悔改，这是为什么呢？”老子说：“作为一个巧智神圣的人，我自以为早已脱离了这种行列。过去你叫我牛我就称作牛，叫我马我就称作马。如果存在那样外形，人们用符合它外形的名字称呼它，它却不肯接受，就会第二次受到祸殃。我顺应外物总是自然而然的，我并不是为了顺应而有所顺应。”士成绮十分羞愧，走上前来问道：“修身之道是什么样的呢？”老子说：“你容颜伟岸高傲，目光突视，头额矜傲，口张舌利，身形巍峨，好像马被拴住而内心无法停止奔腾。你行为暂时勉强拘束，一旦行动就会像是箭发弩机；你明察而又精审，自持智巧而外露骄恣之态，凡此种种都不能看作是人的真实本性。边远的地方有这样的人，名字就叫作窃贼。”

【原文】

夫子曰：“夫道，于大不终，于小不遗，故万物备。广广乎[①]其无不容也，渊渊乎其不可测也。形德仁义，神之末也，非至人孰能定之！夫至人有世[②]，不亦大乎！而不足以为之累。天下奋棅而不与之偕，审乎无假而不与利迁，极物之真，能守其本，故外天地，遗万物，而神未尝有所困[③]也。通乎道，合乎德，退仁义，宾礼乐，至人之心有所定矣。”

【注释】

①广广乎：虚旷无人的样子。②有世：据有天下。③困：困扰。

【译文】

先生说：“道，没有穷尽也没有缺憾，它存在于万物之中。宽广而无所不容，深远而不可探测。推行刑罚德化和仁义，这是精神衰败的象征，若不是道德修养高尚的‘至人’，谁能够判定它！道德修养高尚的‘至人’如果居于统治天下的位置，那责任不是很大吗？这却不能够成为他的拖累。天下人争夺权威但他不会趋附，小心地不依附外物也不为私利所动，深究事物的根本，持守事物的根本，所以会忘乎天地，弃置万物，而精神世界也没有过困扰。通晓于道，合乎常规，辞却仁义，摈弃礼乐，至人的内心也就会是恬淡而不乖违的。”

【原文】

世之所贵道者书也，书不过语，语有贵也。语之所贵者意也，意有所随。意之所随[1]者，不可言传也，而世因贵言传书。世虽贵之，我犹不足贵也，为其贵非其贵也。故视而可见者，形与色也；听而可闻者，名与声也。悲夫！世人以形色名声为足以得彼之情。夫形色名声果不足以得彼之情，则知者不言，言者不知，而世岂识之哉？

桓公读书于堂上。轮扁斫轮于堂下，释椎凿而上，问桓公曰："敢问，公之所读者何言邪？"公曰："圣人之言也。"曰："圣人在乎？"公曰："已死矣。"曰："然则君之所读者，古人之糟魄已夫！"桓公曰："寡人读书，轮人安得议乎！有说则可，无说则死。"轮扁曰："臣也以臣之事观之。斫轮，徐则甘而不固，疾[2]则苦而不入。不徐不疾，得之于手而应于心。口不能言，有数存焉于其间。臣不能以喻臣之子，臣之子亦不能受之于臣，是以行年七十而老斫轮。古之人与其不可传也死矣，然则君之所读者，古人之糟魄已夫！"

【注释】

①随：寄寓。②疾：紧。

【译文】

世上的人们所尊崇的大道，全都依赖书籍的记载。书并没有超越言语，而言语确有可贵的地方。言语重在它的意义，而意义又有它的附属。意义的附属，是不能用言语来传达的，然而世人因为看重言语而传之于书。世人虽然看重它，我却认为它不值得看重，因为世俗所看重的并不是真正可以看重的事物。眼睛可以看见的，是形和色；耳朵可以听到的，是名和声。真是可悲呀！世上的人们满以为由形、色、名、声就足以获得事物的实情。形、色、名、声实在是不能够获得事物的实情的，而知道的不说，说的不知道，世上的人们难道能懂得这个道理吗？

齐桓公在堂上读书，轮扁在堂下砍削车轮，他走上朝堂，问齐桓公说："请问，您所读的书说的是些什么呢？"齐桓公说："这是圣人的话语啊。"轮扁说："圣人还在世吗？"齐桓公说："已经不在了。"轮扁说："这样，那么国君所读的书，都是古人的糟粕啊！"齐桓公说："寡人读书，你怎么敢妄加评论呢！有理由我便不追究你，如果没有就要处死你。"轮扁说："我通过我所从事的工作观察到这个道理。砍削车轮，动作慢了就不坚固，动作快了则涩滞而不入木。不慢不快才最为合适。口里虽然不能言说，却有技巧存在。我不能让我的儿子明白这里的奥妙，我的儿子也不能从我这儿接受这一奥妙的技巧，所以我活了七十岁，如今还在砍削车轮。古时候的人跟他们不可言传的道理一起消失了，那么国君所读的书，就是古人的糟粕啊！"

天运

【题解】

所谓"天运"，即各种自然现象无心运行而自动。本篇仍然讲无为而治的自然之道，但首次从发展的角度来阐释宇宙万物的规律，把抽象的道拉至社会生活中来，具有一定的实践性。

【原文】

"天其运乎？地其处乎？日月其争于所乎？孰主张[①]是？孰维纲是？孰居无事推而行是？意者其有机缄而不得已邪？意者其运转而不能自止邪？云者为雨乎？雨者为云乎？孰隆施是？孰居无事淫乐而劝是？风起北方，一西一东，有上彷徨，孰嘘[②]吸是？孰居无事而披拂是？敢问何故？"巫咸祒[③]曰："来！吾语女。天有六极五常，帝王顺之则治，逆之则凶。九洛之事，治成德备，监照下土，天下戴之，此谓上皇。"

【注释】

①主张：主宰。②嘘：吐气。③祒（shào）：借用为“招”，招呼。

【译文】

天是在自然地运转吗？地是在无心地静处吗？日月交替是在争夺居所吗？是谁在主宰这些现象呢？是谁在维持这些现象呢？是谁无事运行这些现象呢？它们或是有主宰的机关就不能停止呢？还是它们运转而自己停不下来呢？乌云是雨水蒸腾形成的呢？还是雨水是乌云降落形成的呢？是谁在行云布雨？是谁促成了这种现象呢？风在天空中来回游动，是谁吐气或吸气造成了云彩飘动的景象？还是谁闲居无事而造成这样的现象？请问这些是什么原因造成的呢？”巫咸招手说：“来！让我来告诉你。大自然本身就存有六合和五行，帝王顺应它就能管理好国家，违背它就会招来灾祸。顺应这自然之理，九州事务就能功成完备，光辉照临人间，百姓拥戴，这就叫作‘上皇’。”

【原文】

商大宰荡问仁于庄子。庄子曰：“虎狼，仁也。”曰：“何谓也？”庄子曰：“父子相亲，何为不仁？”曰：“请问至仁。”庄子曰：“至仁无亲。”大宰曰：“荡闻之，无亲则不爱，不爱则不孝。谓至仁不孝，可乎？”

庄子曰：“不然。夫至仁尚矣，孝固不足以言之。此非过①孝之言也，不及②孝之言也。夫南行者至于郢，北面而不见冥山，是何也？则去③之远也。故曰：“以敬孝易，以爱孝难；以爱孝易，以忘亲难；忘亲易，使亲忘我难；使亲忘我易，兼忘天下难；兼忘天下易，使天下兼忘我难。夫德遗尧舜而不为也，利泽施于万世，天下莫知也，岂直太息④而言仁孝乎哉？夫孝悌仁义，忠信贞廉，此皆自勉以役其德者也，不足多也。故曰，至贵，国爵并焉；至富，国财并焉；至愿，名誉并焉。是以道不渝。”

【注释】

①过：责备。②不及：没有关系。③去：离开。④太息：长叹，是忧虑的表现。

【译文】

宋国的太宰荡向庄子请教仁爱的问题。庄子说："虎和狼也是有仁爱的。"太宰荡说："这是说什么呢？"庄子说："虎狼也有父子相互亲爱，为什么不能叫作仁呢？"太宰荡又问："请问最高境界的仁是什么。"庄子说："就是没有亲。"太宰荡说："我听说，没有亲就不会有爱，没有爱就不会有孝，说最高境界的仁就是不孝，可以吗？"

庄子说："不可以。最高境界的仁是值得推崇的，孝不足以说明它。这并不是要责备行孝的言论，而是不涉及行孝的言论。向南方走的人到了楚国都城郢，即使面朝北方也看不见冥山，这是为什么呢？因为距离冥山越发远了。所以说，用恭敬的态度来行孝容易，以爱的本心来行孝困难；用爱的本心来行孝容易，用虚静淡泊的态度对待双亲困难；虚静淡泊地对待双亲容易，使双亲也能虚静淡泊地对待自己困难；使双亲虚静淡泊地对待自己容易，能一并虚静淡泊地对待天下人困难；一并虚静淡泊地对待天下之人容易，使天下之人能一并忘却自我困难。盛德遗忘了尧舜，因而尧舜才能任物自得，利益和恩泽施与万世，天下人却没有谁知道，难道偏偏需要深深慨叹而大谈仁孝吗！孝、悌、仁、义、忠、信、贞、廉，这些都是用来劝勉自身的，不值得推崇。所以说，最为珍贵的，国君的爵位可以弃之不顾；最为富有的，一国的财富可以弃之不顾；最大的心愿，名声和荣誉都可以弃之不顾。所以，大道是永恒不变的。"

【原文】

北门成问于黄帝曰："帝张咸池之乐于洞庭之野，吾始闻之惧，复闻之怠，卒闻之而惑；荡荡默默①，乃不自得。"

帝曰："汝殆其然哉！吾奏之以人，征之以天，行之以礼义，建之以大清。夫至乐者，先应之以人事，顺之以天理，行之以五德，应之以自然，然后调理四时，太和万物。四时迭起，万物循生；一盛一衰，文武伦经；一清一浊，阴阳调和，流光其声；蛰虫始作，吾惊之以雷霆。其卒无尾，其始无首；一死一生，一偾一起；所常无穷，而一不可待。汝故惧也。

“吾又奏之以阴阳之和，烛之以日月之明。其声能短能长，能柔能刚；变化齐一，不主故常；在谷满谷，在阬满阬；涂郤守神，以物为量。其声挥绰，其名高明。是故鬼神守其幽②，日月星辰行其纪。吾止之于有穷，流之于无止。予欲虑之而不能知也，望之而不能见也，逐之而不能及也；傥然立于四虚之道，倚于槁梧而吟。目知穷乎所欲见，力屈乎所欲逐，吾既不及已夫！形充空虚，乃至委蛇。汝委蛇，故怠。

“吾又奏之以无怠之声，调之以自然之命。故若混逐丛生，林乐而无形；布挥③而不曳，幽昏而无声。动于无方，居于窈冥；或谓之死，或谓之生，或谓之实，或谓之荣；行流散徙，不主常声。世疑之，稽于圣人。圣也者，达于情而遂于命也。天机不张而五官皆备，此之谓天乐，无言而心说。故有焱氏为之颂曰：‘听之不闻其声，视之不见其形，充满天地，苞裹六极。’汝欲听之而无接焉，而故惑也。

“乐也者，始于惧，惧故祟；吾又次之以怠，怠故遁；卒之于惑，惑故愚；愚故道，道可载而与之俱也。”

【注释】

①荡荡默默：形容迷惑的样子。荡荡，恍恍惚惚。默默，昏昏暗暗。②幽：幽昧的地方。③布挥：张扬。

【译文】

北门成向黄帝说：“黄帝张《咸池》乐曲在广漠的原野，我起初听到感觉恐惧，又听到时感觉懒惰，突然听到时感觉迷惑；广大沉默，于是不自在。”

黄帝说：“你也许会有那样的感觉吧！我依照人情来演奏乐曲，遵循自然的规律，用礼仪来推行，用天道来建构。最美妙最高贵的乐曲，总是用人情来顺应，用天理来遵守，用五德来演绎，用自然来配合，然后才能调和四季的次序，与万物合而为一。乐声就像季节更迭而起，万物都按照这一变化而栖息生长；忽而繁茂，忽而颓败，春季的生机和秋季的肃杀都在有条不紊地更替；忽而清新，忽而沉重，阴阳相互调和，乐声流动充满天地；犹如经过冬眠的虫豸开始活动，我用雷霆惊醒它们。乐声的终结找不到结尾，乐声的开始找不到起头；一会儿飘散，一会儿兴起，一会儿低落，一会儿亢进；变化的方式无穷无尽，丝毫不能有所期待。所以，你会感到惶然不安。

“我又和着阴阳来演奏，用日月的光辉来照耀整个乐章。于是乐声可长可短，可刚可柔，变化虽然遵循着一定的规律，却并不墨守成规；当它流散到山谷，山谷便会满盈；当它流散到坑洼之处，坑洼就会充实；堵塞了心灵的孔隙而让精神保持静寂，一切就都用外物来衡量。乐声悠扬广远，高如天穹，明如日月。因此，连鬼神也能持守幽暗，日月星辰也能各行其道。我时而把乐声停留在有限的境域里，而乐声的寓意却流传于无穷无尽的天地中。我想思考它，却不能明了；我想观望它，却不能看到；我去追赶它，却总不能赶上；只好伫立在四通八达却没有尽头道路上，靠着几案咏叹。那些穷尽目光和智慧想要见到的事物，耗尽力气想要追求的东西，我都早已经赶不上了啊！形体充盈却又好像不存在了，才能够顺应自然的变化。你顺应了自然的变化，惶然不安的情绪便能逐渐平息下来。

“我又演奏起忘我的音乐，用自然的韵律来调和。所以音乐像是相辅相成的，好似风过山林而无形无迹；它的传播没有外力牵引，幽幽暗暗没有声响。音乐产生于深不可测的地方，停留在深远的境地；有时消逝，有时兴起；有时真实，有时虚无；散播的时候游荡迁移，绝不拘泥形态。圣人能通达事理，顺其自然。天机不张而五官俱全，这就叫作天乐。所以有焱氏为他赞颂道：‘听不到他们的声音，看不见他们的形态，却充满天地，包容了六极。’你想要听的而没有听到，所以迷惑了。

“这样的音乐，刚听的时候惶然不安，因为惶然而以为是祸患；我又继续演奏舒缓的音乐，慢慢消除了恐惧；乐声在茫然中终结，因为茫然而感到无知；无知的浑然心态就趋近于大道，由此就可以与大道融会相合了。”

【原文】

孔子西游于卫。颜渊问师金[1]曰：“以夫子之行为奚如？”师金曰：“惜乎，而夫子其穷哉！”颜渊曰：“何也？”

师金曰：“夫刍狗之未陈也，盛以箧衍，巾以文绣，尸祝[2]齐戒以将之。及其已陈也，行者践其首脊，苏者取而爨之而已；将复取而盛以箧衍[3]，巾以文绣，游居寝卧其下，彼不得梦，必且数眯焉。今而夫子，亦取先王已陈刍狗，聚弟子游居寝卧其下。故伐树于宋，削迹于卫，穷于商周，是非其梦邪？围于陈蔡之间，七日不火食，死生相与邻，是非其眯邪？

“夫水行莫如用舟，而陆行莫如用车。以舟之可行于水也而求推之于陆，则没世不行寻常。古今非水陆与？周鲁非舟车与？今蕲行周于鲁，是犹推舟于陆也，劳而无功，身必有殃。彼未知夫无方之传，应物而不穷者也。

“且子独不见夫桔槔者乎？引之则俯，舍之则仰。彼，人之所引，非引人也，故俯仰而不得罪于人。故夫三皇五帝之礼义法度，不矜于同而矜于治。故譬三皇五帝之礼义法度，其犹柤梨橘柚邪！其味相反而皆可于口。

“故礼义法度者，应时而变者也。今取猨狙而衣以周公之服，彼必龁啮挽裂，尽去而后慊[4]。观古今之异，犹猨狙之异乎周公也。故西施病心而矉其里，其里之丑人见之而美之，归亦捧心而矉其里。其里之富人见之，坚闭门而不出，贫人见之，挈妻子而去走。彼知矉美，而不知矉之所以美。惜乎，而夫子其穷哉！”

【注释】

①师金：鲁国的太师。②尸祝：巫师。③箧：竹箱子。衍：“箪”的假借字，箪是圆形的竹箱子。④慊（qiè）：满意。

【译文】

孔子向西边游历到卫国。颜渊问师金道："你认为夫子此次卫国之行怎么样？"师金说："可惜呀，你的先生一定会遭遇困厄啊！"颜渊说："为什么呢？"

师金说："用草扎成的狗还没有用于祭祀，一定会用竹制的箱笼来装着，用绣有图纹的饰物披着，祭祀主持人斋戒后才送到神位上行祭。等到祭祀使用完毕（它被随意丢弃），行路人踩踏它的头颅和脊背，拾草的人捡回去用于烧火煮饭罢了；若是有人把它捡起来，再次取来用于祭祀而拿竹筐装着它，拿绣有图纹的饰物披着它，游乐居于主人的身旁，即使它不做噩梦，也会一次又一次地感受到梦魇似的压抑。如今你的先生，也是取先王已经用于祭祀的草扎之狗，并聚集众多弟子游学居住他的身边。所以在宋国大树下讲习礼法而大树被砍伐，在卫国游说而被铲掉了所有的足迹，在殷地和东周游历遭到困厄，不就是那样的噩梦吗？在陈国和蔡国之间遭到围困，整整七天没能生火就食，让死和生成了近邻，不就是那压得人喘不过气来的梦魇吗？

"在水上划行没有什么比得上用船，在陆地上行走没有什么比得上用车，因为船可以在水中划行，而奢求在陆地上推着船走，那么终生也不能行走多远。古今的不同不就像是水面和陆地的差异吗？周和鲁的差异不就像是船和车的不同吗？如今一心想在鲁国推行周王室的治理办法，这就像是在陆地上推船而行，徒劳而无功，自身也难免遭受祸殃。他们全不懂得运动变化并无限定，只能顺应事物于无穷的道理。

"况且你没有看见那吊杆汲水的情景吗？拉起它的一端，另一端便俯身临近水面；放下它的一端，另一端就高高仰起。那吊杆，是因为人的牵引，并非它牵引了人，所以或俯或仰均不得罪人。因此说，远古三皇五帝时代的礼义法度，不是因为相同而可贵，是因为它们能治理天下才可贵。拿三皇五帝时代的礼义法度来打比方，恐怕就像柤、梨、橘、柚四种酸甜不一的果子吧，它们的味道彼此不同，然而都很可口。

“所以，礼义法度，都是顺应时代而有所变化的东西。如今捕捉到猿猴给它穿上周公的衣服，它必定会咬碎或撕裂，直到全部剥光身上的衣服方才心满意足。观察古今的差异，就像猿猴不同于周公。从前，西施心口疼痛而皱着眉头在邻里间行走，邻里的一个丑女人看见了，认为皱着眉头很美，回去后也在邻里间捂着胸口皱着眉头。邻里的有钱人看见了，紧闭家门而不出；贫穷的人看见了，带着妻儿子女远远地跑开了。她只知道皱着眉头好看，却不知道皱着眉头好看的原因。可惜呀，你的先生一定会遭遇厄运啊！”

【原文】

孔子行年五十有一而不闻道，乃南之[①]沛见老聃。老聃曰：子来乎？吾闻子，北方之贤者也，子亦得道乎？”孔子曰：“未得也。”老子曰：“子恶乎求之哉？”曰：“吾求之于度数，五年而未得也。”老子曰：“子又恶乎求之哉？”曰：“吾求之于阴阳，十有二年而未得。”

老子曰：“然。使[②]道而可献，则人莫不献之于其君；使道而可进，则人莫不进之于其亲；使道而可以告人，则人莫不告其兄弟；使道而可以与人，则人莫不与其子孙。然而不可者，无佗也，中无主而不止，外无正而不行。由中出者，不受于外，圣人不出；由外入者，无主于中，圣人不隐。名，公器也，不可多取。仁义，先王之蘧庐[③]也，止可以一宿而不可久处，觏[④]而多责。

“古之至人，假道于仁，托宿于义，以游逍遥之虚，食于苟简之田，立于不贷之圃。逍遥，无为也；苟简，易养也；不贷，无出也。古者谓是采真之游。

“以富为是者，不能让禄；以显为是者，不能让名；亲权者，不能与人柄[⑤]。操之则栗，舍之则悲，而一无所鉴，以窥其所不休者，是天之戮民也。怨恩取与谏教生杀，八者，正之器也，唯循大变无所湮者为能用之。故曰：“正者，正也。其心以为不然者，天门弗开矣。”

【注释】

①之：往。②使：假使。③蘧（qú）庐：旅店。④觏（gòu）：交织。⑤柄：权位。

【译文】

孔子活到五十一岁还没有领悟出大道，于是去南方沛地拜见老聃。老聃说：“你来了吗？我听说你是北方的贤者，你已经领悟大道了吧？”孔子说：“还没有。”老子说：“你是怎样寻求大道的呢？”孔子说：“我在制度方面寻求大道，用了五年的时间还没找到。”老子说：“你还怎样寻求大道呢？”孔子说：“我又从阴阳的变化方面来寻求，用了十二年还是没有找到。”

老子说：“会是这样的。假使道可以用来进献，那么人们都会向国君进献大道；如果道可以用来奉送，那么人们都会向自己的双亲奉送大道；如果道可以传告他人，那么人们都会告诉给他的兄弟；如果道可以赠予人，那么人们都会用来赠予他的子孙。然而不能这样做的原因是，内心不能自持，所以大道不能停留，对外没有任何相对应的，所以大道不能推行。从内心发出的东西，如果不能为外者接受，圣人也就不会传教；从外部进入内心的东西，如果心中无法领悟，圣人也就不会去怜惜。名声，是每个人都可使用的器物，不能过多地猎取。仁义，是前代帝王的旅馆，可以住上一宿却不能久居，多次交往就会生出许多责难。

“古代道德修养高的人，对于仁来说只是借路，对于义来说也只是暂住，而在无拘无束的境域中游玩，生活在马虎简单的境地，立足于从不费心的园圃。无拘无束，便是无为；马虎简单，就易于生存；从不劳心，就不会让自己受损，于他人也无裨益。古时把这称作神采真实的遨游。

“把贪图财富看作目的的人，不会让予人利禄；把追求显赫看作目的的人，不会让于人名声；迷恋权势的人，不会授人权柄。能够掌握利禄、名声和权势就会害怕丧失而整日不安，而放弃上述东西又会十分悲苦，而且心中没有一点鉴识，眼睛只盯住自己追逐的东西，这样的人只能算是被大自然刑戮的人。怨恨、恩惠、获取、施与、谏诤、教化、生存、杀戮，这八种做法全是端正他人的工具，只有遵循自然的变化的人才能够运用它。所以说，所谓正，就是让人端正。内心里认为不是这样的话，那么心灵的门户就永远不可能打开。”

【原文】

孔子见老聃而语仁义。老聃曰：“夫播穅眯目则天地四方易位矣；蚊虻噆[①]肤，则通昔不寐矣。夫仁义憯[②]然，乃愤吾心，乱莫大焉。吾子使天下无失其朴，吾子亦放风而动，总德而立矣，又奚杰然若负建鼓而求亡子者邪？夫鹄不日浴而白，乌不日黔[③]而黑。黑白之朴，不足以为辩，名誉之观，不足以为广。泉涸，鱼相与处于陆，相呴以湿，相濡以沫，不若相忘于江湖。”

孔子见老聃归，三日不谈。弟子问曰：“夫子见老聃，亦将何规哉？”孔子曰：“吾乃今于是乎见龙！龙，合而成体，散而成章，乘云气而养乎阴阳。予口张而不能嗋[④]，予又何规老聃哉！”子贡曰：“然则人固有尸居而龙见，雷声而渊默，发动如天地者乎？赐亦可得而观乎？”遂以孔子声见老聃。

老聃方将倨[⑤]堂而应，微曰：“予年运而往矣；子将何以戒我乎？”子贡曰：“夫三皇五帝之治天下不同，其系声名一也。而先生独以为非圣人，如何哉？”

老聃曰：“小子少进！子何以谓不同？”对曰：“尧授舜，舜授禹，禹用力而汤用兵，文王顺纣而不敢逆，武王逆纣而不肯顺，故曰不同。”

老聃曰：“小子少进！余语汝三皇五帝之治天下。黄帝之治天下，使民心一，民有其亲死不哭而民不非也。尧之治天下，使民心亲，民有为其亲杀其杀而民不非也。舜之治天，使民心竞[6]，民孕妇十月生子，子生五月而能言，不至乎孩而始谁，则人始有夭矣。禹之治天下，使民心变，人有心而兵有顺，杀盗非杀人，自为种而天下耳，是以天下大骇，儒墨皆起。其作始有伦，而今乎妇女，何言哉！余语汝，三皇五帝之治天下，名曰治之，而乱莫甚焉。三皇之知，上悖日月之明，下睽山川之精，中堕四时之施。其知憯于蛎虿[7]之尾，鲜规之兽，莫得安其性命之情者，而犹自以为圣人，不可耻乎，其无耻也？”子贡蹴蹴然立不安。

【注释】

①噆（zǎn）：叮咬。②憯：通“惨”，毒害。③黔：染黑。④噜（xié）：合。⑤倨：通“踞”，坐。⑥竞：争。⑦蛎虿（lì chài）：尾巴有毒的虫。

【译文】

孔子拜见老聃讨论仁义。老聃说：“糠屑进入眼睛，也会颠倒天地四方，蚊虻之类的小虫叮咬皮肤，也会令人一夜不能入睡。仁义给人的毒害令人糊涂，对人的祸乱没有能比仁义更为厉害的。你要想让天下不丧失质朴，就该自然而然地行动，一切顺应自然规律，又何必去宣扬仁义，好像是敲着鼓去追赶逃亡的人一样？白色的天鹅不用每天沐浴而毛色自然洁白，黑色的乌鸦不必每天用黑色染而毛色自然乌黑，乌鸦的黑和天鹅的白都是出自本然，不能够分辨谁好谁坏；名声和荣誉都是外在的东西，更不能张扬。泉水干涸，鱼儿依偎在陆地上，大口气来取得湿气，靠唾沫来相互得到一点儿润湿，不如将过去江湖里的生活彻底忘记。”

孔子拜见老聃回来后，三天没有讲话。弟子问道：“先生见到老聃，教诲他了什么？”孔子说：“我直到现在才在老聃那儿见到了真正的龙！龙，合在一起便可以成为一个整体，分散开来又成为华美的文采，乘驾云气而养息在阴阳之间。我张大嘴久久不能合拢，我又哪能对老聃做出教诲呢！”子贡说：“这样说，那么人难道就像尸体一样安稳而又像龙一样神情飞扬，像雷一样响而又像深渊那么沉寂，发生和运动就像天地运动变化的情况吗？我也能见到他并亲自观察吗？”于是借着孔子的名义前去拜见老聃。

老聃正伸腿坐在堂上，轻声地应答说：“我已经年老了，你要用什么来告诫我呢？”子贡说：“远古时代三皇五帝治理天下时都不一样，却都有好的名声，只有先生您不认为他们是圣人，这是为什么呢？”

老聃说：“年轻人，你稍微近前些！你凭什么说他们不一样呢？”子贡回答：“尧让位给舜，舜让位给禹，禹治水而汤征伐，文王顺从商纣不敢悖逆，武王悖逆商纣不顺服他，所以说都不一样。”

老聃说：“年轻人，你再稍微靠前些！我给你说说三皇五帝治理天下的事。黄帝治理天下，使得民心保持本真，百姓谁死了双亲并不哭泣，人们也不会因此非议。唐尧治理天下，使得百姓敬重双亲，百姓为了敬重双亲，依等差而做到亲疏有别，人们同样也不会有所非议。虞舜治理天下时，使百姓竞争，怀孕的妇女十个月生下孩子，孩子才生下五个月就要张口学话，不等长到两三岁就开始教授知识，于是出现夭折的现象。夏禹治理天下时，使得百姓心怀变诈，人人存有私心，因而动刀枪成了理所当然的事，杀死盗贼不算杀人，人们各自结成团伙而肆意妄为，所以天下受到惊扰，儒家、墨家纷纷而起。他们刚开始时还有伦理，可是到现在施媚于人，还有什么可说的呢！我告诉你，三皇五帝治理天下，名义上叫作治理，而扰乱人性没有什么比他们更为严重的。三皇的心智就只是对上遮掩日月的光明，对下违背山川的精粹，就中毁坏四时的循环。他们的心智比蛇蝎还惨毒，就连小小的兽类，也不可能使本性获得安宁，可他们还自以为是圣人。是不可耻吗，他们真是无耻呢？”子贡听了惊惶不定，心神不安地站着。

【原文】

孔子谓老聃曰：“丘治[①]《诗》《书》《礼》《乐》《易》《春秋》六经，自以为久矣，孰知其故矣；以奸[②]者七十二君，论先王之道而明周、召之迹，一君无所钓用。甚矣夫！人之难说也，道之难明邪？”

老子曰：“幸矣，子之不遇治世之君也！夫六经，先王之陈迹也，岂其所以迹哉！今子之所言，犹迹也。夫迹，履之所出，而迹岂履哉？夫白鶂③之相视，眸子不运而风化；虫，雄鸣于上风，雌应于下风而风化；类自为雌雄，故风化。性不可易，命不可变，时不可止，道不可壅。苟得于道，无自而不可；失焉者，无自而可。”

孔子不出三月，复见曰：“丘得之矣。乌鹊孺，鱼傅沫，细要者化，有弟而兄啼。久矣夫丘不与化为人，不与化为人，安能化人！”老子曰：“可。丘得之矣。”

【注释】

①治：研习。②奸（gān）：求，求官禄。③白鶂（yì）：一种水鸟。

【译文】

孔子对老聃说：“我研究《诗》《书》《礼》《乐》《易》《春秋》六部经书，自认为很久了，熟悉了各种制度；以先王之制去游说七十二个国君，论述先王的方略，彰明周公、召公的政绩，却没有任何国君取用我的主张。这实在是难啊！是人们难以规劝，还是道理难以明白呢？”

老子说：“幸运啊，你没有遇到过治世的国君！儒家的六经，是先王陈旧的遗迹，难道是留下遗迹的鞋子吗！你所谈论的东西，就像足迹；足迹是鞋踩出来的，难道足迹就是鞋吗！白鶂相互对视，眼珠不动便相诱而孕；虫，雄的在上方鸣叫，雌的在下方回应而诱发生子；而自身具备雌雄两性，不用交合就能生子。本性不能改变，天命不能变更，时光不会停留，大道不会壅塞。假如真正得道，无论去哪里都不会受到阻碍；失道的人，无论去到哪里都是行不通的。”

孔子三个月没有出门，再次见到老聃说：“我终于得道了。乌鸦喜鹊在巢里交尾孵化，鱼儿借助水里的气泡生育，蜜蜂自化而生，生下弟弟，哥哥就会常常啼哭。很长时间了，我没有能跟万物的自然变化相识为友，又如何能教化他人！”老子听了后说：“好。孔丘得道了。”

刻意

【题解】

“刻意”的意思就是磨砺自己的心志。本篇讨论修养，认为不同的人有不同的修养要求，只有“虚无恬淡”才合于“天德”，因而也才是修养的最高境域。

【原文】

刻意尚行，离世异俗，高论怨诽，为亢而已矣。此山谷之士，非世①之人，枯槁②赴渊者之所好也。语仁义忠信，恭俭推让，为修而已矣；此平世之士，教诲之人，游居学者之所好也。语大功，立大名，礼君臣，正上下，为治而已矣；此朝廷之士，尊主强国之人，致功并兼者之所好也。就薮泽③，处闲旷，钓鱼闲处，无为而已矣；此江海之士，避世之人，闲暇者之所好也。吹响呼吸，吐故纳新，熊经鸟申，为寿而已矣；此道引之士，养形之人，彭祖寿考④者之所好也。

若夫不刻意而高，无仁义而修，无功名而治，无江海而闲，不道引而寿，无不忘也，无不有也，淡然无极，而众美从之。此天地之道，圣人之德也。

【注释】

①非世：非毁时世。②枯槁：毁坏身体。③薮（sǒu）泽：湖泽。④寿考：高寿。

【译文】

磨炼心智，超脱世俗，谈吐不凡，抱怨怀才不遇而讽刺世事无道，这样的人只是孤高卓群而已。这样做的是隐士，反对社会，是枯毁形体而投水自杀的人所追求的。宣扬仁义、忠信、恭俭、谦让，这只是注重修身罢了；这样做的乃是想要治理天下的人，是对人施以教化的人，正是那些时而游说各国时而定居讲学的人所追求的。宣扬功德，树立名声，用礼仪来划分君臣的秩序，维持等级划分，算是投身治理天下；这样做的乃是身居朝廷内的人，尊崇强大的国家，正是那些希望建功立业的人所追求的。走向野外，用垂钓来消遣时光，只是无为自在而已；这是闲游于江湖的人，逃避现实，这正是闲暇无事的人所追求的。深呼吸，吐出浑浊的气息，像黑熊攀缘，像鸟儿飞翔，都只是为了延年益寿罢了；这是疏通气血的人，善于养生，正是像彭老祖那样追求长生的人。

若不需磨砺心志就能自然高洁；不需倡导仁义就能自然修身；不追求功名，天下自然得到治理；不需避居江湖，心境自然得以闲暇；不需舒活经络，而气血得以通畅，寿延长久而不往身于外，不拘于自身。心智不滞留在同一个地方，而一切美好的事物都汇聚在他的周围。这是天地永恒的道理，是圣人的功德。

【原文】

故曰：夫恬惔寂漠，虚无无为，此天地之平，而道德之质也。

故曰：圣人休焉，休则平易矣，平易则恬惔矣。平易恬惔，则忧患不能入，邪气不能袭，故其德全而神不亏。

故曰：圣人之生也天行[①]，其死也物化；静而与阴同德，动而与阳同波。不为福先，不为祸始，感而后应，迫而后动，不得已而后起。去知与故，循天之理。故无天灾，无物累，无人非，无鬼责。不思虑，不豫谋。光矣而不耀，信矣而不期。其寝不梦，其觉无忧。其生若浮，其死若休。其神纯粹，其魂不罢。虚无恬惔，乃合天德。

故曰：悲乐者德之邪也，喜怒者道之过也，好恶者德之失也。故心不忧乐，德之至也；一而不变，静之至也；无所于忤，虚之至也；不与物交，惔之至也。无所于逆，粹之至也。

故曰：形劳而不休则弊，精用而不已则劳，劳则竭。水之性，不杂则清，莫动则平，郁闭[2]而不流，亦不能清，天德之象也。

故曰：纯粹而不杂，静一而不变，惔而无为，动而以天行，此养神之道也。

【注释】

①天行：顺从天理而行。②郁闭：滞积。

【译文】

所以说，恬淡宁静，这是天地均衡的基准，而且是道德修养的最高境界。

所以说，圣人总是停留在这一境域之中，停留在这一境域之中也就无所阻滞了。安稳恬淡，那么忧患就不能进入内心，邪气也不能侵入体内，因此他们的德行完整而内心世界不受亏损。

所以说，圣人生在世间顺应自然而为，他们逝去就像万物变化而去一样；平静时跟阴气一样宁寂，运动时又和阳气一起波动。不做幸福的先导，也不为祸患的起始。外有所感而内有所应，有所迫近而后有所行动，不得已而后兴起。抛却智巧和世故，遵循自然的规律。因而没有自然的灾害，也没有外物的牵累，没有旁人的非议，也没有鬼神的责难。他们生于世间就像在水面漂浮，他们死去就像疲劳后在休息。他们不思考，也不用谋划；虽光明但不耀眼，虽守信但不必约定。他们睡觉而不做梦，他们醒来没有忧患；他们心神纯净精粹，他们魂灵从不感到疲惫。他们虚空并且恬淡，所以合乎自然的真性。

所以说，悲欢是背离德行的邪妄，喜怒是违反大道的罪过，喜恶就是忘却真性的过失。所以内心不忧不乐，这是德行的最高境界；持守专一而没有变化，这是寂静的最高境界；不与任何外物相抵触，这是虚寂的最高境界；不与外物交往，这是恬淡的最高境界；不与任何事物相违逆，这是纯粹的最高境界。

所以说，形体劳累却不休息，那么就会感到疲乏不堪，精力使用过度就会使元气劳损，元气劳损太多就会精力枯竭。水的本性，不混杂就会保持清澈，不搅动就会保持平静，闭塞不流动也就不会澄清，这是自然实质的现象。

所以说，纯净精粹不混杂其他事物，静寂坚守却不改变，恬淡无所作为，运动顺乎自然而行，这便是养神之道。

【原文】

夫有干越之剑者，柙而藏之，不敢用也，宝之至也。精神四达并流，无所不极，上际①于天，下蟠②于地，化育万物，不可为象，其名为同帝。纯素之道，惟神是守。守而勿失，与神为一。一之精通，合于天伦。野语有之曰：“众人重利，廉士重名，贤人尚志，圣人贵精。”故素也者，谓其无所与杂也；纯也者，谓其不亏其神也。能体纯素，谓之真人。

【注释】

①际：会合。②蟠：遍及。

【译文】

吴越出现宝剑，用匣子把它藏起来，不敢轻易动用，是因为太宝贵了。精神可以通达到四方，没有达不到的地方，接近苍天，遍及大地，化育万物，却又找不到它的踪迹，它的名字叫作同帝。素朴的道理，就是持守精神。持守精神却不失去本真，与精神相融合。同一就使精智保持畅通，也就合于自然的道理。俗话说：“常人只看重私利，清廉的人看重名声，贤能的人崇尚志向，圣哲的人重视素朴的精神。”所以素就是说没有混杂其他事物，纯就是说自然赋予的东西没有缺损。能够体察到纯和素的人，就可称他为“真人”。

缮性

【题解】

本篇的中心仍是讨论如何养性。所谓“缮性”就是修治生性。

全篇提出“以恬养知”的主张，认为遵从世俗必定不能“复其初”，只有自养而又敛藏，方才不“失其性”。修治生性的要领是“正己”和“得志”，既可以正己，又可以自适，因此也就不会本末倒置。

【原文】

缮性于俗，俗学以求复其初；滑欲于俗思，以求致①其明；谓之蔽蒙之民。

古之治道者，以恬养知；知生而无以知为也，谓之以知养恬。知与恬交相养，而和②理出其性。夫德，和也；道，理也。德无不容，仁也；道无不理，义也；义明而物亲，忠也；中纯实而反乎情，乐也；信行容体而顺乎文，礼也。礼乐徧行，则天下乱矣。彼正而蒙已德，德则不冒③，冒则物必失其性也。

古之人，在混芒之中，与一世而得澹漠焉。当是时也，阴阳和静，鬼神不扰，四时得节，万物不伤，群生不夭，人虽有知，无所用之，此之谓至一。当是时也，莫之为而常自然。

逮德下衰，及燧人、伏羲始为天下，是故顺而不一。德又下衰，及神农、黄帝始为天下，是故安而不顺。德又下衰，及唐虞始为天下，兴治化之流，澆④淳散朴，离道以善，险德以行，然后去性而从于心。心与心识知，而不足以定天下，然后附之以文，益之以博。文灭质，博溺心，然后民始惑乱，无以反其性情而复其初。

由是观之，世丧道矣，道丧世矣。世与道交相丧也，道之人何由兴乎世，世亦何由兴乎道哉！道无以兴乎世，世无以兴乎道，虽圣人不在山林之中，其德隐矣。隐，故不自隐。

【注释】

①致：得到，获得。②和：和顺。③冒：覆盖。④澆（jiāo）：扰乱，破坏。

【译文】

认为用世俗的学问修身养性就可以恢复本性，认为用世俗的观念调和欲望就可以获得思想的明澈，这就是闭塞昏昧的人。

古时候的人用恬静涵养智慧。和顺便有智慧却不用智慧行事，这是用智慧涵养恬静。心智和恬静交相调治，和顺便从本性流露出来。德，就是谐和；道，就是顺应。德无所不容，叫作仁；道无所不顺，叫作义。物类相亲，就叫作忠；恢复纯朴的本性，就叫作乐；礼仪得体而且符合礼仪的节度和表征，叫作礼。礼乐偏执一方而又多方有失，那么天下就会大乱了。每个人都端正自己的德行，德行也就不会冒犯人了，德行不好就会丧失本性。

古时候的人，生活在混沌之中，跟整个外部世界混为一体，并且人们彼此互不交往。这个时候，阴与阳谐和而又宁静，鬼神也不去干扰，四季变化遵循时节的顺序，万物都不会受到伤害，有生命的东西都能尽享天年，人们即使拥有心智，也没处可用，这是最为完美的状态。这个时候，人们什么都不用做就可以保持自然。

等到后来道德衰退，到了燧人氏、伏羲氏统治天下的时候，世事不能统一。道德再度衰退，到了神农氏和黄帝统治天下的时候，只能安定天下却不能顺从民心。道德再度衰退，到了唐尧、虞舜统治天下，开始治理和教化的风气，淳厚质朴之风遭到破坏，违背大道，寡有德行，从此以后也就舍弃了本性而顺从各自的私心。人们彼此间相互了解，也就不能让天下得到安定，增加了浮华的装饰，就衍生出更多的俗学。浮华的装饰毁坏了质朴之风，世俗的博学淹没了纯真之心，然后人们才开始迷惑，没有办法恢复本性。

这样看来，世俗之风破坏了自然之道，虚假之道又败坏了世俗之风。世俗之风与虚假之道相互破坏，有道的人怎么能立足于世间，人们怎么去振兴自然之道呢！道不能振兴社会，人世就无法振兴自然之道，即使是圣人不在山林里，别人也不会看到他的德行，所谓的隐，不是指圣人主动归隐。

【原文】

古之所谓隐士者，非伏其身而弗见也，非闭其言而不出也，非藏其知而不发也，时命大谬也。当时命而不行乎天下，则反一无迹；不当时命而大穷乎天下，则深根宁极而待。此存身之道也。

古之存身者，不以辩饰知，不以知穷天下，不以知穷德，危然①处其所而反其性，己又何为哉！道固不小行，德固不小识。小识伤德，小行伤道。故曰：正己而已矣。乐全之谓得志。

古之所谓得志者，非轩冕之谓也，谓其无以益其乐而已矣。今之所谓得志者，轩冕之谓也。轩冕在身，非性命也，物之傥来，寄者也。寄之，其来不可圉②，其去不可止。故不为轩冕肆志，不为穷约趋俗，其乐彼与此同，故无忧而已矣。今寄去则不乐，由是观之，虽乐，未尝不荒也。故曰，丧己于物，失性于俗者，谓之倒置之民。

【注释】

①危然：独立不倚的样子。②圉（yǔ）：御，抵挡。

【译文】

隐士并不是因为不愿吐露真情，也不是因为有才智而不愿有所发挥，而是命运不济。当时遇和命运顺应自然而通行于天下的时候，就会返归纯朴之境而不显露踪迹。当时遇不顺、命运乖违而穷困时，要固守根本。这就是保存自身的方法。

古时候善于保护自己的人，不用巧辩来装饰智慧，不用智巧让天下人受到困累，不用心智让德行受到困扰，端正地生活在自己所处的环境中而恢复本性，又何必去做什么呢！大道本不是小有所成的人能够理解的，万物本不是小有所知的人能够明白的。小有所知会伤害德行，小有所成会伤害大道。所以说，端正自己也就够了。保全本性就可以称得上是得到自己的心志了。

古时候自得的人，不是指有地位的人，而是指出自本然的快意而不需要添加任何事物的人。现在人们所说的快意自适，是指地位显赫的人。财富在身，并不是出自本身，就像是偶然到来，不过是临时寄托的。这类寄托之物，它的到来不必阻挡，离去也不必劝止。所以不能为了财富而放纵，不能因为穷困贫乏而与世俗同流，身处财富与贫穷，其间的快意相同，所以没有忧愁。如今寄托之物离去便觉不能快意，所以，即使真正有过快意，也会迷乱了真性。所以说，由于外物而失去自身，由于流俗而失去本性，这就是本末倒置。

秋水

【题解】

《秋水》是《庄子》中的又一长篇，用篇首的两个字作为篇名，中心是讨论人怎样认识外物。

此篇强调了认识事物的复杂性，即事物本身的相对性和认知过程的变异性，指出了认知与判断的不易。其鲜明的思想特色和隽永的文学艺术堪称精粹。

【原文】

秋水时至，百川灌河，泾流之大，两涘渚崖之间，不辩牛马。于是焉河伯欣然自喜，以天下之美为尽在己。顺流而东行，至于北海，东面而视，不见水端。于是焉河伯始旋[①]其面目，望洋向若而叹曰："野语[②]有之曰'闻道百，以为莫己若'者，我之谓也。且夫我尝闻少仲尼之闻而轻伯夷之义者，始吾弗信；今我睹子之难穷也，吾非至于子之门则殆矣，吾长见笑于大方之家。"

北海若曰："井蛙不可以语于海者，拘于虚也；夏虫不可以语于冰者，笃于时也；曲士不可以语于道者，束于教也。今尔出于崖涘，观于大海，乃知尔丑，尔将可与语大理矣。天下之水，莫大于海，万川归之，不知何时止而不盈；尾闾泄之，不知何时已而不虚；春秋不变，水旱不知。此其过江河之流，不可为量数。而吾未尝以此自多者，自以比形于天地而受气于阴阳，吾在于天地之间，犹小石小木之在大山也。方存乎见少，又奚以自多！计四海之在天地之间也，不似礨空[3]之在大泽乎？计中国之在海内，不似稊米[4]之在大仓乎？号物之数谓之万，人处一焉；人卒九州，谷食之所生，舟车之所通，人处一焉；此其比万物也，不似豪末之在于马体乎？五帝之所连，三王之所争，仁人之所忧，任士之所劳，尽此矣！伯夷辞之以为名，仲尼语之以为博，此其自多也，不似尔向之自多于水乎？”

【注释】

①旋：改变。②野语：俗话。③礨（lěi）空：小穴。④稊（tí）米：像稗籽一样小的米。

【译文】

秋天雨水按时而降，流水汇入黄河，水面汹涌，两岸和水中小洲上的牛马都不能分辨。河神很高兴，认为所有好的事物都聚集在自己这里。河神顺着水流向东前行，来到北海边，向海的东边望去漫无边际。于是河神不再得意，对海神说：“俗话说‘听到上百条道理就认为天底下没有能超过自己的’，指的就是我了。我还曾听说孔丘懂得的东西太少，伯夷的高义不值得看重，以前我不相信，可当我看见你的浩瀚时我就明白了，自己差点成为笑话。”

海神说：“井底之蛙，因生活所受的限制而不知道外界的宽广；不能与它们谈论大道，是因为它们被束缚。现在的你懂得了这个道理，就可以谈论大道了。所有的水流在最后都汇聚到大海里，而海水从不会溢出，海水也从不会减少；无论春夏秋冬，还是雨旱水涝，都影响不了大海。这说明海的宽广不能以数量为计。而我从不自满，自从明白我是由天地的形体、阴阳的元气而形成以后，我就知道自己在天地间就像小石子、小木屑一样渺小。因为我懂得这个道理，所以不敢自负。想一想，四海存于天地间，就像小小的石间孔隙存在于沼泽之中。再想一想，中原大地存于四海之内，就像米粒存在于大粮仓里。事物的单位为万，人类只是万物中的一种；人们在九州聚集，粮食生长在这里，舟车在这里行驶，每个人都是其中之一；一个人与万物相比较，就变得渺小了。五帝相继，三王相争，仁人忧患，贤才操劳，在这天地间都变得渺小！伯夷辞让王位而博取名声，孔丘谈论帝王以显示渊博，这也许是他们自满，不就像你先前的得意一样吗？”

【原文】

河伯曰：“然则吾大天地而小豪末，可乎？”

北海若曰：“否。夫物，量无穷，时无止，分无常，终始无故。是故大知观于远近，故小而不寡，大而不多，知量无穷，证曏[①]今故，故遥而不闷[②]，掇而不跂，知时无止；察乎盈虚，故得而不喜，失而不忧，知分之无常也；明乎坦涂，故生而不说，死而不祸，知终始之不可故也。计人之所知，不若其所不知；其生之时，不若未生之时；以其至小求穷其至大之域，是故迷乱而不能自得也。由此观之，又何以知豪末之足以定至细之倪？又何以知天地之足以穷至大之域？”

河伯曰：“世之议者皆曰：‘至精无形，至大不可围。’是信情乎？”

北海若曰：“夫自细视大者不尽，自大视细者不明。夫精，小之微也；垺[③]，大之殷也。故异便，此势之有也。夫精粗者，期于有形者也；无形者，数之所不能分也；不可围者，数之所不能穷也。可以言论者，物之粗也；可以意致者，物之精也。言之所不能论，意之所不能察致者，不期精粗焉。是故大人之行，不出乎害人，不多仁恩；动不为利，不贱门隶；货财弗争，不多辞让；事焉不借人，不多食乎力，不贱贪污；行殊乎俗，不多辟异；为在从众，不贱佞谄，世之爵禄不足以为劝，戮耻不足以为辱；知是非之不可为分，细大之不可为倪。闻曰：‘道人不闻，至德不得，大人无己。’约分之至也。”

【注释】

①曏（xiàng）：察明。②闷：厌倦。③垺（fú）：大，宏大。

【译文】

河神说："这样，那么我认为天地最大，毫毛最小，这可以吗？"

海神回答："不行。世间万物没有穷尽，没有明确的界限，有智慧的人不能局限在此，不能因为大就看作是大的，不能因为小就看作是小的；验证并察明古往今来变化无穷的情况，就不会因为生命的久远而感到厌倦，生命的尽头却不会祈求更多的寿命，因为知道时间的推移而没有止境；洞悉事物的规律，所以得到什么并不自喜，失去什么也不会悔恨，这是因为知道得与失是没有定规的；明了生与死之间就像一条没有阻隔的大道，所以生于世间的人不会加倍欢喜，死离人世的人不会有悲伤，这是因为知道终了和起始是一直变化的。人不懂的事物多过懂得的事物，人离世的时间也超过他在世的时间；用有限的智慧去探究无限的境遇就会有疑惑、迷茫，内心有疑惑就不能得到正确的结果！这样看来，就不能断定毫毛是最小的事物，而天地也不能被看作是最大的事物。"

河神说："人们常说：'细小的东西没有形体可寻，巨大的事物又没有限定的范围。'这可信吗？"

海神回答："从小的方面看大的方面不能全面，从大的方面看小的方面是不清晰的。精细，是小中之小；庞大，是大中之大。不过大小各有各的长处。这就是事物势态所固有的现象。所谓大小，只限于有形体的事物；小到无形的事物，不能用数量计算；而大到没有界限的事物，更不能以数量计算。能用语言形容的事物都是表象；能用心传达的事物都具有内在的实质。既不能用语言形容的又不能用心传达的，那便是没有界限的。品德高尚的人不会伤害人；无论做什么都不会为了自己的利益，也不会轻视卑微的人。不去争夺财物，也不过分地谦让；凡事从不让人帮忙，也不提倡自食其力，同时也不鄙夷贪婪的人；行为与世俗不一样，但不主张邪僻；行为顺随一般的人，也不轻贱奉承谄媚的人；人世间的权力和金钱不足以为劝勉，刑罚不足以为羞耻；不能清楚地划分是与非的界限，也不可能清楚地划分大和小的界限。听人说：'得道的人不求名声，高尚的人不计较得失，清寂的人能够忘却自己。’这就是缩小分别的极致。”

【原文】

河伯曰：“若物之外，若物之内，恶至而倪贵贱？恶至而倪大小？”

北海若曰：“以道观之，物无贵贱。以物观之，自贵而相贱。以俗观之，贵贱不在己。以差观之，因其所大而大之，则万物莫不大；因其所小而小之，则万物莫不小；知天地之为稊米也，知豪末之为丘山也，则差数睹矣。以功观之，因其所有而有之，则万物莫不有；因其所无而无之，则万物莫不无；知东西之相反而不可以相无，则功分定矣。以趣观之，因其所然而然之，则万物莫不然；因其所非而非之，则万物莫不非；知尧、桀之自然而相非，则趣操睹矣。昔者尧、舜让而帝，之、哙让而绝，汤、武争而王，白公争而灭。由此观之，争让之礼，尧、桀之行，贵贱有时，未可以为常也。梁丽可以冲城，而不可以窒[①]穴，言殊器也。骐骥骅骝[②]一日而驰千里，捕鼠不如狸狌，言殊技也。鸱鸺夜撮蚤，察豪末，昼出瞋目而不见丘山，言殊性也。故曰：盖师是而无非，师治而无乱乎？是未明天地之理、万物之情者也。是犹师天而无地，师阴而无阳，其不可行明矣。然且语而不舍，非愚则诬也。帝王殊禅，三代殊继。差其时逆其俗者，谓之篡夫；当其时顺其俗者，谓之义之徒。默默乎河伯！女恶知贵贱之门、小大之家！”

【注释】

①窒：堵塞。②骐骥骅（huá）骝（liú）：四种良马。一般骐骥连称，骅骝连称。

【译文】

河神说：“根据事物的外表与内在，如何区分它们的贵贱和大小？”

海神回答：“按常理来看，万物本身没有贵贱。从万物自身来看，又有贵贱之分。按世俗来说，贵贱不在于事物的自身。如果按事物大小的差别来说，从大的角度单方面去看，那么万物就没有什么不是大的；从小的角度单方面去看，那么万物就没有什么不是小的。天地虽大，如果比起更大的东西来就像米粒一样；毫毛虽小，如果比起更小的东西来也像高大的山丘，而万物的差别和数量也就明晰了。依照事物的作用来看，认为它具有这样的功能，那么万物也具有；它不具备这样的功能，那万物也不具备；可知东与西的方向相反却又不可缺少，而事物的功能与本分就能确定。从人们对事物的趋向看，认为事物是对的，那么万物都是对的；认为事物是错的，那么万物都是错的；唐尧和夏桀都自以为正确又相互否定对方的观点，而人们也就看得清楚自身的趋向了。当年唐尧、虞舜因禅让而称帝，宰相子之与燕王哙因禅让而燕国差点灭亡；商汤、周武王都争王位，白公胜争夺王位却招致杀身之祸。与禅让的礼制争论，唐尧与夏桀的作为，都会因时而异，不可以把它们看作是不变的。栋梁之材可以用来冲击敌城，却不可用以堵塞洞穴，器物的用处也不一样。良驹一天奔驰上千里，捕捉老鼠却比不上野猫与黄鼠狼，因为技能不一样。猫头鹰夜里能抓取跳蚤，细察毫毛之末，可是白天也看不见高山，说的是禀性不一样。所以说：怎么能专以己见为是，而不知有非呢？这是因为不明白自然之道。这就像重视天忽视地，重视阴而轻视阳，那是不行的。然而还有人在不停争论，这种人不是愚昧就是在骗人。远古帝王的禅让各不相同，夏、商、周三代的继承也不一样。不合时代的人，称他为篡逆；合于时代的人，称他为大义。沉默下来吧，河神！你怎么知道贵贱、大小的道理呢！”

【原文】

河伯曰：“然则我何为乎？何不为乎？吾辞受趣舍，吾终奈何？”

北海若曰：“以道观之，何贵何贱，是谓反衍。无拘而志，与道大蹇[①]。何少何多，是谓谢施。无一而行，与道参差。严乎若国之有君，其无私德，繇繇[②]乎若祭之有社，其无私福；泛泛乎其若四方之无穷，其无所畛域。兼怀万物，其孰承翼？是谓无方。万物一齐，孰短孰长？道无终始，物有死生，不恃其成。一虚一满，不位乎其形。年不可举，时不可止，消息盈虚，终则有始。是所以语大义之方，论万物之理也。物之生也，若骤若驰，无动而不变，无时而不移。何为乎？何不为乎？夫固将自化。”

【注释】

①蹇（jiǎn）：阻塞，抵触。②繇（yóu）繇：通“悠悠”，自得的样子。

【译文】

河神说：“既然是这样的话，那我该做什么呢？”

海神回答：“用道的观点来区分，无所谓贵贱，这称为循环往复。不要束缚你的心志，以致和大道相违背。无所谓多少，多少是相互更替续延的。不要偏执于任何事物的某一方面行事，而跟大道不一致。威严的样子像是一国的国君，确实没有一点偏私的恩惠；自得的样子像是祭祀中的土地神，没有任何偏私的赐福；广泛的样子像是通达四方而又广阔，确实没有明确的界限；兼蓄并且包藏万物，难道有人专门有所承受或者是有所庇护吗？这就是不偏执于事物的任何一个方面。宇宙万物本是一体的，谁好谁坏呢？大道没有始终，万物却都有生死，因此不能依靠一时的成功。万物时而空虚，时而充实，从不固守于某一种形态而不变。时间不能被挽留，从不会停息，消退、生长，充实、空虚，终结了再开始。这就是讲大道的方向，评论万物的道理。万物的生长，像马儿飞奔，像马车疾行，一切都在不停地变化。有什么该做，有什么是不该做的呢？一切都将遵循自然而变化。”

【原文】

河伯曰：“然则何贵于道邪？”

北海若曰：“知道者必达于理，达于理者必明于权，明于权者不以物害己。至德者，火弗能热，水弗能溺，寒暑弗能害，禽兽弗能贼。非谓其薄之也，言察乎安危，宁于祸福，谨于去就，莫之能害也。故曰：天在内，人在外，德在乎天。知天人之行，本乎天，位乎得，蹢躅[1]而屈伸，反要而语极。”

河伯曰：“何谓天？何谓人？”

北海若曰：“牛马四足，是谓天。落马首，穿牛鼻，是谓人。故曰：无以人灭天，无以故灭命，无以得殉名。谨守而勿失，是谓反其真。”

【注释】

①蹢躅（zhí zhú）：进退不定的样子。

【译文】

河神说：“既然这样，为什么还要看重天道呢？”

海神回答：“懂得道理的人必然明白是非，不会让外物来伤害自己。道德高尚的人，不被火烧，不被水淹，不被严寒酷暑所侵害，不怕飞禽走兽，不是因为他们迫近它们而不被侵害，而是他们明察安危，冷静对待福祸，谨慎对待进退，所以没有什么能伤害到他们。所以说：天然含于内里，人为露于外在，高尚的修养要顺应自然。懂得人与自然的规律，才能立足于自然，居处于自得的环境，徘徊不定，屈伸无常，返归大道之旨，谈论万物之理。”

河神说：“什么是天然？什么是人为？”

海神回答：“牛马天生就有四只脚，这就是天然。用马络套住马头，用牛鼻绾穿过牛鼻，这就是人为。所以说，不能用人为去毁灭天然，不能用有意的作为去毁灭自然的禀性，不要为了获得虚名而不留余力。要小心地保护天然秉性，这就叫返归本真。”

【原文】

夔[1]怜蚿[2]，蚿怜蛇，蛇怜风，风怜目，目怜心。

夔谓蚿曰：“吾以一足趻踔[3]而行，予无如矣！今子之使万足，独奈何？”蚿曰：“不然。予不见乎唾者乎？喷则大者如珠，小者如雾，杂而下者不可胜数也。今予动吾天机，而不知其所以然。”

蚿谓蛇曰：“吾以众足行而不及子之无足，何也？”蛇曰：“夫天机之所动，何可易邪？吾安用足哉！”

蛇谓风曰："予动吾脊胁而行，则有似也。今子蓬蓬然起于北海，蓬蓬然入于南海，而似无有，何也？"风曰："然。予蓬蓬然起于北海而入于南海也，然而指我则胜我，鰌我亦胜我。虽然，夫折大木、蜚大屋者，唯我能也，故以众小不胜为大胜也。为大胜者，唯圣人能之"。

【注释】

①夔（kuí）：传说中一种似牛而无角的野兽，独脚。②蚿（xián）：百足虫。③跉踔：跳着走。

【译文】

独脚的夔羡慕多脚的蚿，多脚的蚿又羡慕无脚的蛇，无脚的蛇又去羡慕无形的风，无形的风羡慕明察事物的眼睛，明察事物的眼睛又在羡慕内在的心灵。

夔对蚿说："我依靠一只脚行走，我不如你啊。现在你使用很多只脚走路，那是怎么样的呢？"蚿说："不对，我并非有心用很多只脚行走。这就像吐吐沫的情景。喷出唾沫大的像珠子，小的像雾，不能计算。如今我启动我天生的机能而行走，却不明白这是为什么。"

蚿对蛇说："我用这么多脚行走而不如你没有脚的，这是为什么呢？"蛇说："仰靠天生的机能而行动，这怎么可以改变呢？哪里用得着脚！"

蛇对风说："我用我的脊柱和腰胁行走，还是像用脚走路一样。如今你从北海掀起风，又驾临南海，却没有留下足迹，这是为什么呢？"风说："是的，我从北海来到南海。可是人们用手来阻挡我，而我并不能吹断人们的手指；人们用腿脚来踢踏我，我也不能吹断人们的腿脚。即使这样，折断大树、掀翻房屋，却只有我能够做到，这就是小的方面不求胜利，大的方面获得胜利，而获得大方面胜利的就是圣人所为。"

【原文】

孔子游于匡，宋人围之数匝，而弦歌不惙[①]。子路入见，曰："何夫子之娱也？"孔子曰："来，吾语女。我讳穷久矣，而不免，命也；求通久矣，而不得，时也。当尧、舜而天下无穷人，非知得也；当桀、纣而天下无通人，非知失也。时势适然。夫水行不避蛟龙者，渔人之勇也。陆行不避兕②虎者，猎夫之勇也。白刃交于前，视死若生者，烈士之勇也。知穷之有命，知通之有时，临大难而不惧者，圣人之勇也。由，处矣，吾命有所制③矣。”

无几何，将④甲者进，辞曰：“以为阳虎也，故围之。今非也，请辞而退。”

【注释】

①惙：通“辍”，停止。②兕（sì）：犀牛一类的野兽。③制：制约。④将：率领。

【译文】

孔子周游到匡地，卫国人包围了他，可孔子不停地弹琴诵读。子路见到孔子说：“先生为什么这么快乐呢？”孔子说：“我来告诉你。我忌讳困窘闭塞已经很久了，可是始终不能摆脱，这就是命运。我寻求通达也已经很久了，可是始终未能实现，这就是时运。尧、舜的时代，百姓没有一个困顿潦倒的，这不是因为他们都才智超人；桀、纣的时代，天下没有一个通达的人，这不是因为他们都才智低下。这是时代造成的。在水里活动却不躲避蛟龙的，那是渔夫的勇敢；在陆上活动却不躲避犀牛老虎的，那是猎人的勇敢；刀剑交错地横于眼前，不看重生死，那是壮烈之士的勇敢。懂得困厄潦倒是命中注定的，懂得顺利通达是时代造成，面临大难却不畏惧的，这是圣人的勇敢。仲由啊，你还是安然处之吧，我们的命运不由自己啊。”

过了不久，一名将领带着士兵过来，深表歉意地说：“大家错以为你是阳虎，所以围困了你。现在知道错了，请让我带领士兵离开。”

【原文】

公孙龙问于魏牟曰：“龙少学先王之道，长而明仁义之行；合同异，离坚白；然不然，可不可；困百家之知，穷众口之辩。吾自以为至达已。今吾闻庄子之言，汒焉异之。不知论之不及与？知之弗若与？今吾无所开吾喙，敢问其方。”

公子牟隐机大息，仰天而笑曰：“子独不闻夫坎井之蛙乎？谓东海之鳖曰：‘吾乐与！出跳梁乎井干之上，入休乎缺甃[①]之崖；赴水则接腋持颐，蹶泥则没足灭跗；还虷[②]、蟹与科斗，莫吾能若也。且夫擅一壑之水，而跨跱[③]坎井之乐，此亦至矣。夫子奚不时来入观乎？’东海之鳖左足未入，而右膝已絷矣，于是逡巡[④]而却，告之海曰：‘夫千里之远，不足以举其大；千仞之高，不足以极其深。禹之时，十年九潦，而水弗为加益；汤之时，八年七旱，而崖不为加损。夫不为顷久推移，不以多少进退者，此亦东海之大乐也。’于是坎井之蛙闻之，适适然惊，规规然自失也。且夫知不知是非之竟，而犹欲观于庄子之言，是犹使蚊负山，商蚷驰河也，必不胜任矣！且夫知不知论极妙之言，而自适一时之利者，是非坎井之蛙与？且彼方跐黄泉而登大皇，无南无北，奭然四解，沦于不测；无东无西，始于玄冥，反于大通。子乃规规然而求之以察，索之以辩，是直用管窥天，用锥指地也，不亦小乎？子往矣！且子独不闻夫寿陵馀子之学行于邯郸与？未得国能，又失其故行矣，直匍匐而归耳。今子不去，将忘子之故，失子之业。”

公孙龙口呿[⑤]而不合，舌举而不下，乃逸而走。

【注释】

①甃（zhòu）：堆砌井壁的砖。②虷（hán）：孑孓，蚊子的幼虫。③跨跱（zhì）：盘踞。④逡（qūn）巡：小心退却的样子。⑤呿（qū）：嘴张开的样子。

【译文】

公孙龙向魏牟问道：“我小的时候学习圣贤的主张，长大后明白仁义的道理；能够把事物的两面合二为一，把事物坚白性质区分开来；把不对的说成是对的，把不认可的看作是适宜的；能够让百家智士迷惑，让善变者词穷。我自以为是最为通达的了。我听了庄子的话以后感到迷惑不解，不知是我的辩论才能不如他还是学识不如他，现在来冒昧地请教你。”

魏牟靠着几案叹了口气，然后又仰头朝天笑着说：“你听过井底之蛙的故事吗？井蛙对东海里的鳖说：‘我很快乐！我跳于井口栏杆之上，在井里的破壁之处休息。跳入水井中水便托住我的腋窝，撑起我的下巴；踏进泥浆里，泥水便盖住了我的脚背，水中的小虫子没有比得上我的。这样我就很满意了。你要来看看吗？’东海的鳖左脚还未能跨入，右膝就已经被绊住。于是就退了出来，告诉井蛙大海的情况，说：‘比千里还辽阔，比千仞还高大。夏禹时代十年中九年有水涝灾害，而海水不会因此增多；商汤时代八年中七年有大旱，而海水水位不会因此下降。不因时间长短而变更，不因雨量多少而增减，这就是东海最大的快乐。’浅井之蛙听了这一席话，茫然不知所措。再说你公孙龙的才智还达不到知晓是与非的境界，却还想去明白庄子的言谈，这就像让蚊虫去背山，让马蛇虫到河水中奔跑，这是不能够胜任的。而你的才智能通晓极其玄妙的语言，去迎合那些一时的胜利，这不就像是井底之蛙一样吗？况且庄子的思想下蹈黄泉而上登碧落，不分南北，四通八达，深不可测；不分东西，起于幽深玄妙的境界，返归广阔通达之域。你拘束于察视的办法去探寻它的奥妙，用论辩的言辞去探寻它的真谛，这是用竹管看苍天，用锤子敲大地，实在是太渺小了！你还是走吧！而且你没听说过邯郸学步吗？没能学会别人的步法，结果又忘了自己原来的步法，最后只得爬着回去了。你还是快离开我这里吧，否则必将忘掉你原有的本领，失去原有的学业。”

公孙龙张口结舌，神志恍惚，快速地逃走了。

【原文】

庄子钓于濮水，楚王使大夫二人往先焉，曰：“愿以境内累矣。”

庄子持竿不顾，曰：“吾闻楚有神龟，死已三千岁矣，王巾笥[①]而藏之庙堂之上。此龟者，宁其死为留骨而贵乎？宁其生而曳尾于涂中乎？”二大夫曰：“宁生而曳尾涂中。”庄子曰："往矣，吾将曳尾于涂中。"

【注释】

①笥（sì）：竹箱。此处为动词，装进竹箱。

【译文】

庄子在濮水边钓鱼，楚王派遣两位大臣去致意，说："楚王愿将国事交托给你。"

庄子手拿钓竿头也不回地说："我听说楚国有一只神龟，已经死了三千年了，用竹箱装着它，用巾饰覆盖着它，供在宗庙里。这只神龟，是宁愿死后而尊贵，还是宁愿活着拖着尾巴在泥水里爬呢？"两位大臣说："当然是宁愿活在泥水里。"庄子说："你们走吧，我将拖着我的尾巴在泥中爬。"

【原文】

惠子相梁，庄子往见之。或谓惠子曰："庄子来，欲代之相。"于是惠子恐，搜于国中，三日三夜。

庄子往见之，曰："南方有鸟，其名为鹓鶵[①]，子知之乎？夫鹓鶵，发于南海而飞于北海，非梧桐不止，非练实[②]不食，非醴泉不饮。于是鸱得腐鼠，鹓鶵过之，仰而视之曰：'吓！'今子欲以子之梁国而吓我邪？"

【注释】

①鹓鶵（yuān chú）：凤凰一类的鸟。②练实：竹子的果实。

【译文】

惠子在梁国做宰相，庄子看望他。有人对惠子说："庄子来这是为了取代你做宰相。"于是惠子开始害怕起来，在城内搜寻庄子整整三天三夜。

庄子前往看望惠子，说："南方有一种鸟名字叫鹓鶵，你知道吗？鹓鶵从南海飞到北海，只在梧桐树上停歇，只吃竹子，只饮用甘泉。正在这时，一只鸱鹰找到一只已经腐烂了的老鼠，鹓鶵刚巧从空中飞过，鸱鹰抬头看着鹓鶵，发出一声怒斥：'吓！'如今你也想用你的梁国来'吓'我吗？"

【原文】

庄子与惠子游于濠梁之上。庄子曰："儵鱼出游从容，是鱼之乐也。"惠子曰："子非鱼，安知鱼之乐？"庄子曰："子非我，安知我不知鱼之乐？"惠子曰："我非子，固①不知子矣。子固非鱼也，子之不知鱼之乐，全矣。"庄子曰："请循②其本。子曰'汝安知鱼乐'云者，既已知吾知之而问我。我知之濠上也。"

【注释】

①固：本来。②循：追溯。

【译文】

庄子和惠子在濠水桥上游玩。庄子说："鱼儿游得自由自在，这就是鱼儿的快乐。"惠子说："你不是鱼，怎么知道鱼是快乐的？"庄子说："你又不是我，怎么知道我不知道鱼是快乐的？"惠子说："我不是你，当然不知道你。你也不是鱼，你不知道鱼的快乐，这是完全可以肯定的。"庄子说："请追溯你最初问我的话。你刚才所说的'你怎么知道鱼的快乐'的话，就已经知道我知道鱼儿的快乐而问我的。而我则是在桥上知道鱼儿快乐的。"

至乐

【题解】

"至乐"的意思是最大的快乐。人生在世什么是最大的快乐呢？人又应该怎样对待生和死呢？庄子就世俗之所尊、所乐、所苦等命题进行正反辩难，提出"无为诚乐"的主张。本篇以奇异的视角论证生死同一、特我无异、无所谓忧、亦无所谓乐的无为思想。抑扬起伏，出人意表。

【原文】

天下有至乐无有哉？有可以活身者无有哉？今奚为奚据？奚避奚处？奚就奚去？奚乐奚恶？

夫天下之所尊者，富贵寿善也；所乐者，身安厚味美服好色音声也；所下者，贫贱夭恶也；所苦者，身不得安逸，口不得厚味，形不得美服，目不得好色，耳不得音声，若不得者，则大忧以惧。其为形①也亦愚哉。

夫富者，苦身疾作，多积财而不得尽用，其为形也亦外矣。夫贵者，夜以继日，思虑善否，其为形也亦疏矣。人之生也，与忧俱生，寿者惛惛，久忧不死，何苦也！其为形也亦远矣。烈士为天下见善矣，未足以活身。吾未知善之诚②善邪，诚不善邪？若以为善矣，不足活身；以为不善矣，足以活人。故曰：忠谏不听，蹲循勿争。故夫子胥争之以残其形，不争，名亦不成。诚有善无有哉？

今俗之所为与其所乐，吾又未知乐之果乐邪，果不乐邪？吾观夫俗之所乐，举群趣者，誙誙然③如将不得已，而皆曰乐者，吾未之乐也，亦未之不乐也。果有乐无有哉？吾以无为诚乐矣，又俗之所大苦也。故曰：至乐无乐，至誉无誉。

天下是非果未可定也。虽然，无为可以定是非。至乐活身，唯无为几存。请尝试言之。天无为以之清，地无为以之宁，故两无为相合，万物皆化。芒乎芴乎④，而无从出乎！芴乎芒乎，而无有象乎！万物职职，皆从无为殖。故曰：天地无为也而无不为也，人也孰能得无为哉！

【注释】

①为形：保持形体。②诚：真诚。③誙（kēng）誙然：一定要取得的样子。④芒、芴：即“恍”“惚”，形容无为的样子。

【译文】

天下有没有最快乐的事情？有没有可以养活性命的方法呢？现

在，有什么是该做的和不该做的呢？什么应该逃避，什么才能让人安心呢？该追寻什么，又该放弃什么呢？该喜欢什么，又该讨厌什么呢？

人们所尊崇看重的，是财富、地位、生命和名利；所爱好喜欢的，是健康的身体、美味的食物、漂亮的服饰、缤纷的色彩和动听的音乐；所认为低下的，是贫穷、卑贱、短命和恶名；所痛苦的是，身体不健康、吃不到美味的食物、穿不到漂亮的衣服、眼睛看不到缤纷的色彩、耳朵听不到动听的音乐，如果得不到这些就会开始担忧，以上种种对待身形的做法真是太愚蠢啊！

富有的人，身体劳累，积攒了财富却不能用，对身体却不看重。高贵的人，日夜思考如何保全金钱和地位，也是对身体疏忽了。人们在世间生存，就会有烦恼产生，长寿的人整日里糊糊涂涂，长久糊糊涂涂却不能死去，这是多么痛苦啊！这样对待身体也就太疏远了。性格刚烈的人为了天下而殉国，却不能使自身存活。我不知道这样好不好？如果好，却不足使自身存活；如果不好，却又可以让别人存活下来。所以说：忠诚的劝谏不被接纳，那就退让一旁。伍子胥忠心劝谏却遭受残戮，但如果他不努力去争谏，就不会有忠臣的美名。那么到底好还是不好呢？

世俗所喜欢的，我却不知道这是好的，还是不好的。世人对待所喜欢的事物就全力去追逐。每个人都认为这是快乐的，我却不这样认为。那么世界上到底有没有快乐呢？我认为无为才是快乐，但世人又对此非常苦恼。所以说：最大的快乐就是没有快乐，最大的荣誉就是没有荣誉。

天下事并非没有定论。虽然如此，无为却可以断定一切。最大的快乐就是自身存活，只有无为才能让自身存活。请让我说明：苍天无为，所以清虚明澈，大地无为，所以浊重宁寂，天与地相互结合，万物皆可化育生长，恍恍惚惚，不知自何而出，惚惚恍恍，没有一点儿痕迹！万物全是从无为中繁衍生殖而来。所以说，无地无心而为却能化育万物，但世俗之人谁又能做到无为呢！

【原文】

庄子妻死，惠子吊之，庄子则方箕踞鼓盆而歌。惠子曰："与人居，长子①，老身死，不哭亦足矣，又鼓盆而歌，不亦甚乎！"

庄子曰："不然。是其始死也，我独何能无概！然察其始而本无生，非徒②无生也而本无形，非徒无形也而本无气。杂乎芒芴之间，变而有气，气变而有形，形变而有生，今又变而之死，是相与为春秋冬夏四时行也。人且偃然寝于巨室，而我噭噭③然随而哭之，自以为不通乎命，故止也。"

【注释】

①长子：生育子女。②非徒：不只。③噭（jiào）噭：拟声词，表示哭声。

【译文】

庄子的妻子去世了，惠子去吊唁，庄子却分开双腿坐着，一边敲打着瓦缶一边唱歌。惠子说："你和你的妻子在一起生活了一辈子，她为你生儿育女，直至衰老而死去，她死了你不伤心哭泣也就算了，怎么又敲着瓦缶唱起歌来了？你也太过分了吧！"

庄子说："不是这样。她刚死的时候，我又怎么没有感触？然而，当我想到她当初本没有生命，不仅没有生命并且她还没有形体，不只没有形体也没有元气。夹杂在恍惚的境域中，因为变化而有了元气，元气又变化成了形体，因形体而有了生命，如今变化又回到死亡，这和四季变化一样。死去的人安安稳稳地存在于天地之间，而我围着她啼哭，这是不能与天命相通，所以我就停止了哭泣。"

【原文】

支离叔与滑介叔观于冥伯之丘、昆仑之虚，黄帝之所休。俄而柳生其左肘，其意蹶蹶①然恶之。支离叔曰："子恶之乎？"滑介叔曰："亡②，子何恶！生者，假借也。假之而生生者，尘垢也。死生为昼夜。且吾与子观化③而化及我，我又何恶焉！"

【注释】

①瞡（guì）瞡：惊动的样子。②亡：否。③观化：观察事物的变化。

【译文】

支离叔和滑介叔一起在冥伯的山丘上和昆仑的旷野里游玩，黄帝曾经在那里休息过。不一会儿，滑介叔的左臂上长出了一个瘤子，他很吃惊。支离叔说："你讨厌它吗？"滑介叔说："不，具有形体的生命，不过是借助外物凑合而成。一切事物都是借助其他事物而形成的，就像土粒的聚合离散。人的死与生和白天黑夜的交替是一样的。何况我和你一起观察事物的变化，现在它在我的身上进行变化，我又怎么会讨厌它呢！"

【原文】

庄子之楚，见空髑髅①，髐然②有形，撽③以马捶，因而问之曰："夫子贪生失理，而为此乎？将子有亡国之事，斧钺之诛，而为此乎？将子有不善之行，愧遗父母妻子之丑，而为此乎？将子有冻馁之患，而为此乎？将子之春秋故及此乎？"于是语卒，援髑髅，枕而卧。

夜半，髑髅见梦曰："子之谈者似辩士。视子所言，皆生人之累也，死则无此矣。子欲闻死之说乎？"庄子曰："然。"髑髅曰："死，无君于上，无臣于下，亦无四时之事，从然④以天地为春秋，虽南面王乐，不能过也。"庄子不信，曰："吾使司命复生子形，为子骨肉肌肤，反子父母妻子闾里知识，子欲之乎？"髑髅深矉蹙頞曰："吾安能弃南面王乐而复为人间之劳乎！"

【注释】

①髑髅（dú lóu）：死人的骨头。②髐（xiāo）然：骨头干枯的样子。③撽（qiào）：敲击。④从然：从容自得的样子。

【译文】

庄子到楚国去，路途中遇到一具尸骨，非常干枯，便用马鞭在旁边敲了敲问道："你是贪图生命才变成这样的吗？还是因为国破家亡，惨遭杀害才这样？或是有了不好的行为，担心给父母、妻儿子女留下耻辱，因此才羞愧成这样呢？还是你饥寒交迫才这样呢？还是你寿命已尽才这样呢？”庄子说完，拿过骷髅，当作枕头而睡。

到了半夜，骷髅给庄子托梦说：“你真是一个善于言辞的人呢。你说的那些情况都属于活人的拘束，人死后就不存在这些问题了。你想听听死人的情况吗？”庄子说：“好。”骷髅说：“人死后，没有国君的统治，也不受官吏的管辖，四季不用操劳，从容地生活着，即使成为君王，也没有这样快乐。”庄子不相信，说：“我让主管生命的神来恢复你的形体，还给你骨肉肌肤，把你送回父母妻子故乡朋友那里，得以继续生活，你愿意吗？”骷髅皱眉蹙额，深感忧虑地说：“我为什么要抛弃君王般的快乐而去重新遭受人间的痛苦呢？”

【原文】

颜渊东之齐，孔子有忧色。子贡下席而问曰：“小子敢问，回东之齐，夫子有忧色，何邪？”

孔子曰：“善哉汝问！昔者管子有言，丘甚善之，曰：‘褚[①]小者不可以怀大，绠[②]短者不可以汲深。’夫若是者，以为命有所成而形有所适也，夫不可损益。吾恐回与齐侯言尧、舜、黄帝之道，而重以燧人、神农之言。彼将内求于己而不得，不得则惑，人惑则死。

“且女独不闻邪？昔者海鸟止于鲁郊，鲁侯御而觞之于庙，奏《九韶》以为乐，具太牢以为膳。鸟乃眩视忧悲，不敢食一脔，不敢饮一杯，三日而死。此以己养养鸟也，非以鸟养养鸟也。夫以鸟养养鸟者，宜栖之深林，游之坛陆，浮之江湖，食之鳝鲦，随行列而止，委蛇而处。彼唯人言之恶闻，奚以夫譊譊[③]为乎！《咸池》《九韶》之乐，张之洞庭之野，鸟闻之而飞，兽闻之而走，鱼闻之而下入，人卒闻之，相与还而观之。鱼处水而生，人处水而死，彼必相与异，其好恶故异也。故先圣不一其能，不同其事。名止于实，义设于适，是之谓条达而福持。”

【注释】

①褚（zhǔ）：装衣服的袋子。②绠（gěng）：吊水的绳子。③谠（náo）谠：喧闹的样子。

【译文】

颜渊到齐国去，孔子面露忧色。子贡离席向前问道：“学生不懂，为什么先生对于颜渊去齐国感到担忧呢？”

孔子说：“你问得好！当年管仲有句话说得很好：‘布袋小了不可能包容大的东西，水桶上的绳索短了不可能汲取深井里的水。’这种说法是认为事物各有其形成的道理，形体不同却都有用处，这些都不能随便改动。我担忧他跟齐侯讨论尧、舜、黄帝治理国家的主张，而且还进一步地推崇燧人氏、神农氏的言论。齐侯按照三皇五帝的做法要求自己却做不到，做不到就会产生疑问，一旦产生疑问就会迁怒于他，他会因此丧命的。

“你听过这样的故事吗？从前，一只海鸟飞到鲁国都城郊外停下来，鲁国国君把它供养起来，弹奏《九韶》让它高兴，喂它美食。海鸟却很悲伤，不敢吃一块肉，不敢饮一杯酒，三天就死了。这是按自己的生活习惯去养鸟，而不是按鸟的习性来养鸟。按鸟的习性来养鸟，就应该让它栖息在森林中，游荡在大地上，盘旋在江湖上，吃泥鳅和小鱼，跟随鸟儿的行列而止歇。它们最不喜欢人的声音，又怎么喜欢和人在一起生活？《咸池》《九韶》之类的著名乐曲，在野外演奏，鸟儿听见了会飞走，野兽听见了会逃跑，鱼儿听见了会潜下水底，人听了却会围在一起观看。鱼儿在水里才能生存，人处在水里就会死去，人和鱼是不同的，所以二者喜好也不同。所以前代君王的能力不同，他们所做的事情也不等同。名义的留存在于符合实际，义理的设置在于适合自然，这就叫条理通达而福分常在。”

【原文】

列子行，食于道从，见百岁髑髅，攓①蓬而指之曰：“唯予与汝知而未尝死未尝生也。若果养乎？予果欢乎？”

种有几，得水则为继，得水土之际则为蛙蠙之衣②，生于陵屯则为陵舄[3]，陵舄得郁栖则为乌足。乌足之根为蛴螬[4]，其叶为胡蝶。胡蝶胥也化而为虫，生于灶下，其状若脱，其名为鸲掇[5]。鸲掇千日为鸟，其名为干余骨。干余骨之沫为斯弥，斯弥为食醯[6]。颐辂[7]生乎食醯，黄軦[8]生乎九猷，瞀芮[9]生乎腐蠸。羊奚比乎不箰[10]，久竹生青宁；青宁生程，程生马，马生人，人又反入于机。万物皆出于机，皆入于机。

【注释】

①攓（jiǎn）：拔。②蛙蠙（bìn）之衣：指青苔。③陵舄（xì）：车前草。④蛴螬（qí cáo）：金龟子的幼虫，俗称地蚕、土蚕。⑤鸲掇（qū duō）：干余骨的幼虫。⑥食醯（xī）：食醋。⑦颐辂（lù）：醋放久了生出的小虫。⑧黄軦（kuàng）：虫名。⑨瞀芮（mào ruì）：小蚊虫。⑩不箰（sǔn）：不生笋的竹。

【译文】

列子在外游玩、吃东西时，看见一个上百年的髑髅，拔开周围的杂草说："只有我知道你没有死过也没有生过。你是真的悲伤吗？我又是真的快乐吗？"

物种有其微妙之处，有了水源就有生命的存在，水附近的岩石会生出青苔，土堆上会长出车前草，车前草会滋养乌足，乌足化为土蚕，土蚕化为蝴蝶。蝴蝶不久成为虫，生活在灶下，那样子就像是蜕皮，它叫作鸲掇。鸲掇一千天以后就变成鸟，它叫作干余骨。干余骨的唾沫能长出虫子斯弥，斯弥经久发酸成醋。颐辂滋生于放久的醋中，黄軦滋生于过期的甜酒中，瞀芮生长于腐烂的野猪上。羊奚草跟不长笋的竹相结合，陈腐的竹又生出青宁虫；青宁虫生豹子，豹子生马，马生人，而人又化为尘土回归自然。万物都起源于微妙的境域，又全都回返于微妙的境域中。

杂篇

寓言

【题解】

“寓言”本是篇首二字，但也是本文讨论的主要内容之一。所谓的“寓言”就是寄寓的言论。《庄子》阐述道理和主张，常假托于故事人物，寓言的方法正是《庄子》的一大特色。

【原文】

寓言十九，重言十七，卮言日出，和以天倪。寓言十九，借外论之。亲父不为其子媒①。亲父誉之，不若非其父者也；非吾②罪也，人之罪也。与己同则应③，不与己同则反；同于己为是之，异于己为非之。重言十七，所以已言也，是为耆艾④。年先矣，而无经纬本末以期年耆者，是非先也。人而无以先人，无人道也；人而无人道，是之谓陈人。卮言日出，和以天倪，因以曼衍，所以穷年⑤。

不言则齐，齐与言不齐，言与齐不齐也，故曰无言。言无言，终身言，未尝不言；终身不言，未尝不言。有自⑥也而可，有自也而不可；有自也而然，有自也而不然。恶乎然？然于然。恶乎不然，不然于不然。恶乎可？可于可。恶乎不可？不可于不可。物固⑦有所然，物固有所可，无物不然，无物不可。非卮言日出，和以天倪，孰得其久？万物皆种也，以不同形相禅，始卒若环，莫得其伦，是谓天均。天均者天倪也。

【注释】

①媒：做媒。②吾：指父亲。③应：赞同。④耆艾：长寿的人。⑤穷年：终其天年。⑥自：根由。⑦固：本来。

【译文】

寄托于他人的言论在书中占有十分之九，引用前辈的言辞占有十分之七，随心表达的言论不断地更新，顺其自然。寄托于他人的言论有十分之九让人相信，是由于借助外人来进行论述。父亲不给儿子做媒，父亲夸奖儿子，不如让旁人称赞显得更真实；这不是做父亲的错，这是人们猜疑的过错。跟自己的观点一致就肯定，和自身的观点不一样就否定。引用前辈的话有十分之七让人信服，这些人全都称为老人。年龄比别人大，却不具备治世的本领和通晓事理的能力而符合长者的厚德，这样的人就不能算是前辈。如果一个人没有过人的长处，也就缺乏做人之道；一个人如果缺乏做人之道，就成了没用的人。随心表达的言论层出不穷，与自然的分际相互吻合，遵循事物发展的客观规律，才能持久延年。

不发表任何言论就能与自然相统一，不言与言不能相互统一，言与不言也不能相统一，所以只能说没有成见的言论。如果说出与自然不能相统一的话就像没说一样，一生都在说话，却又像一生都不曾说话；而一生都不说话又像是一生都在说话。总是有原因才去判断对错；有理由去判断对，也有理由判断错。要怎样去判断是对的呢？对的就在于它是对。怎么能判断它是错的呢？错的就在于它是错的。怎么能判断它是对的呢？对的就在于它可以被肯定。又怎么能当作是错的？错的就在于它应当被否定。世间万物原本就有它对的方面，万物原本就有它可以肯定的方面，没有什么事物不存在对的方面，没有什么物类不存在应当被肯定的方面。如果不是顺随自然来进行阐述，符合常理，又有什么言论能够维持长久呢？万物都有一个共同的起源，却是不同的形态相互转换，开始和终了就像在循环往复，没有人能掌握其中的规律，这就是自然的均衡。自然的均衡也就是自然的分际。

【原文】

庄子谓惠子曰：“孔子行年六十而六十化，始时所是，卒而非之，未知今之所谓是之非五十九非也。”惠子曰：“孔子勤志服[①]知也。”庄子曰：“孔子谢之矣，而其未之尝言。孔子云：‘夫受才乎[②]大本，复灵以生。’鸣而当律，言而当法。利义陈乎前，而好恶是非直[3]服人之口而已矣。使人乃以心服，而不敢蘁[4]立，定天下之定。已乎已乎！吾且不得及彼乎！”

【注释】

①服：用。②乎：于。③直：只是。④蘁（wù）：违逆，不顺从。

【译文】

庄子对惠子说：“孔子活了六十岁，而六十年不断创新，当初所肯定的后来又进行了否定，现在所认为是对的就是五十九岁时所认为是不对的。”惠子说：“孔子努力实现自己的志愿。”庄子说：“孔子已经放弃了这种做法，只是他没有说过。孔子说过：‘禀受才智于自然，回复灵性以全生。’如今发出的声音合于乐律，说出的话语合于法度。如果将利与义同时放在人们面前，进而分辨，这只能使人口服罢了。要使人们能够内心诚服，而且不敢有丝毫违逆，还得确立天下的规矩。算了算了，我比不上他！”

【原文】

曾子再仕而心再化[1]，曰：“吾及亲[2]仕，三釜而心乐。后仕，三千钟而不洎，吾心悲。”弟子问于仲尼曰：“若参者，可谓无所县[3]其罪乎？”曰：“既已县矣。夫无所县者，可以有哀乎？彼视三釜三千钟，如观雀蚊虻相过乎前也。”

【注释】

①化：变化。②及亲：双亲在世的时候。③县：通“悬”，系。

【译文】

曾参第二次做官时，心境已经发生了变化，说：“我当年做官时父母还在，俸禄虽然不多但我很快乐。自那以后再次做官时，再丰厚的俸禄也不能赶上父母还在，因此我心里很悲伤。”孔子的弟子问孔子：“像曾参这样孝顺的人，不会受到利禄的牵累吧？”孔子说：“曾参的心思已经受到牵累了。如果内心没有牵挂，怎么会出现悲伤呢？对待俸禄心无所系的人，他们看待微薄的俸禄到丰厚的俸禄，就像是看着雀儿和蚊虻从眼前飞过一样。”

【原文】

颜成子游谓东郭子綦曰："自吾闻子之言，一年而野，二年而从，三年而通，四年而物，五年而来①，六年而鬼入，七年而天成②，八年而不知死、不知生，九年而大妙。"

"生有为，死也，劝公以其死也，有自也；而生阳也，无自也。而果然乎？恶③乎其所适？恶乎其所不适？天有历数，地有人据④，吾恶乎求之？莫知其所终，若之何其无命也？莫知其所始，若之何其有命也？有以相应也，若之何其无鬼邪？无以相应也，若之何其有鬼邪？"

【注释】

①来：大道。②天成：与天合一。③恶：何，哪里。④人据：版图。

【译文】

颜成子游对东郭子綦说："自从我听从你的话以后，一年后就变得淳朴，两年后就顺从世俗，三年后变得豁达，四年后可以与万物混同，五年后神情自得，六年后能够醒悟，七年后能融于自然，八年后就忘却生死，九年后就达到了玄妙的境界。"

东郭子綦说："生前妄为，必然要走向死亡，劝诫人们事事求取公正。生命的终结，有它一定的原因；可是生命的产生是源于阳气，并没有什么迹象。你真的能这样认识人的生死吗？那么生与死你该何去何从呢？天地都有它所需要遵循的规律，我应该去哪里追求自然之道呢？如果说人能真正明白生死的真谛，又怎么能说没有命运的安排呢？如果没有人能够真正懂得生命的开始与结束，又怎么能说存在命运的安排？与外界相感应，这怎么能说没有鬼神？如果没有与外界的感应，怎么能说存在鬼神呢？"

【原文】

众罔两问于景曰："若①向也俯，而今也仰，向也括撮，而今也被发，向也坐，而今也起，向也行，而今也止。何也？"景曰："搜搜②也，奚稍问也！予有而不知其所以。予，蜩甲也，蛇蜕也，似之而非也。火与日，吾屯③也；阴与夜，吾代也。彼吾所以有待邪？而况乎以无有待者乎！彼来则我与之来，彼往则我与之往，彼强阳则我与之强阳④。强阳者又何以有问乎！”

【注释】

①若：你。②搜搜：运动的样子。③屯：聚集。④强阳：闲游。

【译文】

影外的暗影向影子问道：“你先前低着头，现在仰起头，先前束着发髻，现在披着头发，先前坐着，现在站起，先前行走，现在停下来，这是为什么？”影子回答：“我原本就是这样的，这有什么可问的呢？我也不能明白这是为什么。我，就像寒蝉蜕下来的壳，蛇蜕下来的皮，和本体相似却又不是本体。火和阳光，让我变得明显；阴与黑夜，让我变得隐匿。可是我只能凭借有形的物体而存在吗？何况是没有任何形体的事物呢！有形的物体到哪我就去哪，有形的物体消散我也会随之消散，有形的物体徘徊不定我就随之徘徊不定。变化不定的事物有什么可问的呢？”

【原文】

阳之居①南之沛，老聃西游于秦，邀于郊，至于梁而遇老子。老子中道仰天而叹曰：“始以汝为可教，今不可也。”阳子居不答。至舍，进盥漱巾栉，脱屦户外，膝行而前曰：“向者弟子欲请夫子，夫子行不闲，是以不敢。今闲矣，请问其过。”老子曰：“而睢睢盱盱②，而谁与居？大白若辱③，盛德若不足。”阳子居蹴然变容曰：“敬闻命矣。”其往也，舍者迎将其家，公执席，妻执巾栉，舍者避席，炀④者避灶。其反也，舍者与之争席矣。

【注释】

①阳子居：即杨朱，名子居，战国人。②睢（suī）睢盱（xū）盱：形容神态傲慢。睢睢，仰视的样子。盱盱，张大眼睛的样子。③辱：黑。④炀（yáng）：烤火。

【译文】

阳子居向南边走要到沛地去，正巧老聃到西边的秦地游走，约在郊外见面，可是到了梁城才相遇。老子在半路上叹息说："当初我把你看作是可以教诲的人，现在看来你不是。"阳子居沉默着。到了旅店后，阳子居放好各种盥洗用具，把鞋子脱在门外，跪着说道："刚才弟子正想请教先生，正好赶上先生在旅途中没有时间，所以不敢贸然打扰。现在先生闲下来，恳请先生说出我的过错是什么。"老聃说："你那么傲慢，还能够和谁相处？就像过于洁白的就好像总会感觉有脏的东西，德行最为高尚的就好像总会觉得有什么不足。"阳子居听了后羞惭地说："弟子由衷地接受先生的教诲。"阳子居刚来旅店的时候，店里的客人都要迎来送往，旅舍的男主人亲自为他安排座席，女主人亲手拿着毛巾和梳子侍候他洗漱，旅客们见了他都得让出座位，烤火的人见了他也要远离火边。等到他要离开旅店的时候，旅店的客人们已经能跟他无拘无束地坐在一起了。

说剑

【题解】

本篇是庄子说服赵文王停止斗剑取乐的寓言故事。赵文王喜欢剑，整天与剑士为伍而不管理朝政，庄子前往游说。庄子说剑分为三种，即天子之剑、诸侯之剑和庶民之剑，委婉地指出赵文王的所为实际上是庶民之剑，而希望他能成为天子之剑。

一般认为，《说剑》并非庄子之文。文中确有"庄子"其名，但《说剑》里的庄子已不是倡导无为无己、逍遥顺应、齐物齐论中的庄子，完全是一个说客，即战国时代的策士形象，而内容也脱离了《庄子》的主旨。所以，本篇历来被认为是一篇伪作，也不是庄子学派的作品，可能是假托庄子之名的策士之文。

【原文】

昔赵文王[①]喜剑，剑士夹门而客三千余下，日夜相击于前，死伤者岁百余人，好之不厌。如是三年，国衰，诸侯谋之。太子悝患之，募左右曰："孰能说[②]王之意止剑士者，赐之千金。"左右曰："庄子当能。"

太子乃使人以千金奉[③]庄子。庄子弗受，与使者俱往见太子，曰："太子何以教周，赐周千金？"太子曰："闻夫子明圣，谨奉千金以币从者[④]。夫子弗受，悝尚何敢言！"庄子曰："闻太子所欲用周者，欲绝王之喜好也。使臣上说大王而逆王意，下不当太子，则身刑而死，周尚安所事金乎？使臣上说大王，下当太子，赵国何求而不得也！"太子曰："然。吾王所见，唯剑士也。"庄子曰："诺。周善为[⑤]剑。"太子曰："然吾王所见剑士，皆蓬头突鬓垂冠[⑥]，曼胡之缨，短后之衣，瞋目而语难，王乃说之。今夫子必儒服而见王，事必大逆[⑦]。"庄子曰："请治剑服。"治剑服三日，乃见太子。太子乃与见王，王脱白刃待之。

【注释】

①赵文王：即赵惠文王，名何，赵武灵王之子。②说：说服。③奉：送给。④币从者：犒劳随从。⑤为：用。⑥垂冠：帽子低斜。⑦大逆：违背。

【译文】

以前，赵王喜欢研究剑术，他的门客很多，天天在赵王面前比试，每年都有百余人因此死去，但赵王从来都感觉不大满足。就这样过了三年，朝政荒芜，国力衰弱，各国诸侯都在谋算想要攻打赵国。太子因此而担心，征询他的手下，问道："如果谁能阻止赵王这样下去，就送给他千金。"他的手下回答说："只有庄子能够做到。"

于是太子派人带着千金拜见庄子。庄子不接受，跟着随从会见太子说："太子有什么见教，为什么赐给我千金？"太子说："听闻先生是贤明之人，因此奉上千金。如果先生不愿接受，我还有什么可说的呢!”庄子说:“听说太子想让我劝诫大王停止沉溺于剑术。如果我对上说得不对就会得罪大王,对下又不能让太子满意,那我就会遭到刑罚而死去,我还哪里用得着这些赠礼呢?如果对上我说服了大王,对下又可以让太子满意,那还有什么是我得不到的呢!”太子说:“是的。在父王的心目中,只有剑术好的人。”庄子说:“好的,我也擅长用剑。”太子说:“不过我父王所见到击剑的人,全都头发杂乱,汗毛多,帽子压低,衣服紧身,眼睛瞪大而且气喘很粗,言语迟缓,大王喜欢见到这样打扮的人。如果先生穿儒服去会见赵王,结果一定会弄糟。”庄子说:“那请让我准备剑士的服装吧。”三天以后剑士的服装裁制好了,于是庄子去面见太子。太子带领庄子一起去拜见赵王,赵王解下利剑等待着庄子的到来。

【原文】

庄子入殿门不趋,见王不拜。王曰:“子欲何以教寡人,使太子先。”曰:“臣闻大王喜剑,故以剑见王。”王曰:“子之剑何能禁制?”曰:“臣之剑,十步一人,千里不留行。”王大悦之,曰:“天下无敌矣!”

庄子曰:“夫为①剑者,示之以虚,开之以利,后之以发,先之以至。愿得试之。”王曰:“夫子休,就舍待命,令设戏,请夫子。”王乃校剑士七日,死伤者六十余人,得五六人,使奉剑于殿下,乃召庄子。王曰:“今日试使士敦剑。”庄子曰:“望之久矣。”王曰:“夫子所御杖,长短何如?”曰:“臣之所奉皆可。然臣有三剑,唯王所用,请先言而后试。”

王曰:“愿闻三剑。”曰:“有天子剑,有诸侯剑,有庶人剑。”王曰:“天子之剑何如?”曰:“天子之剑,以燕溪石城为锋,齐岱为锷,晋魏为脊,周宋为镡②,韩魏为夹③;包以四夷,裹以四时,绕以渤海,带以常山;制以五行,论④以刑德;开以阴阳,持以春秋,行以秋冬。此剑,直之无前,举之无上,案⑤之无下,运之无旁,上决浮云,下绝地纪。此剑一用,匡诸侯,天下服矣。此天子之剑也。”文王芒然自失,曰:“诸侯之剑何如？”曰：诸侯之剑，以知勇士为锋，以清廉士为锷，以贤良士为脊，以忠圣士为镡，以豪杰士为夹。此剑，直之亦无前，举之亦无上，案之亦无下，运之亦无旁；上法圆天以顺三光⑥，下法方地以顺四时，中和民意以安四乡⑦。此剑一用，如雷霆之震也，四封⑧之内，无不宾服而听从君命者矣。此诸侯之剑也。”王曰：“庶人之剑何如？”曰：“庶人之剑，蓬头突鬓垂冠，曼胡之缨，短后之衣，瞋目而语难。相击于前，上斩颈领，下决肝肺。此庶人之剑，无异于斗鸡，一旦命已绝矣，无所用于国事。今大王有天子之位而好庶人之剑，臣窃为大王薄之。”

王乃牵而上殿。宰人上食，王三环之。庄子曰：“大王安坐定气，剑事已毕奏矣。”于是文王不出宫三月，剑士皆服毙其处也。

【注释】

①为：使用。②镡（tán）：剑口。③夹：通“铗”，剑把。④论：论断。⑤案：通“按”。⑥三光：日、月、星。⑦四乡：四方。⑧四封：四境。

【译文】

庄子走入大殿，见到赵王却不叩拜。赵王说：“你要怎么教导我，而先由太子进行引荐呢？”庄子说：“我听说大王喜欢剑术，特地拿剑术来见大王。”赵王说：“你的剑术怎样？”庄子说：“我的剑术，十步之内就能杀一个人，行走千里都不会被阻止。”赵王听了很开心，说：“在这天底下没有人是你的对手了！”

庄子说：“击剑最重要的是，有意把短处暴露给对方，再引诱对方发现可乘之机，之后再对他发起攻击，并且要抢先一步击中他。有机会的话，希望能让我展示一下剑法。”赵王说：“您先回旅馆休息，等我通知，我安排好击剑大赛再请您前来比武。”赵王花了七天让剑士们比赛，有六十多人死伤，选出五六个人，命他们持剑在殿下等候，这时才通知庄子出面。赵王说：“现在可以让剑士们与先生比试剑术了。”庄子说：“我已等候多时了。”赵王说：“先生习惯用长剑还是短剑？”庄子回答：“我的剑术长短都适用。但是我有三种剑，任凭大王挑选，请让我先做出解释再来比试。”

赵王说：“你说说看。”庄子回答说：“剑有三种，分别为天子之剑、诸侯之剑和庶人之剑。”赵王说：“天子之剑是什么？”庄子说：“天子之剑，就是拿燕溪的石城山做剑尖，用齐国的泰山做剑刃，再用晋国和卫国做剑脊，还有周室国都和宋国做剑环，韩国和魏国做剑柄；最后用中原以外的地方包扎，用四季围裹，用渤海缠绕，用恒山做系带；用五行做统驭，靠着刑律和德教来论断；以阴阳为开合，以春夏来扶持，以秋冬来运作。这样的剑，向前直刺没有阻挡，按剑向下所向披靡，向上能刺破浮云，向下能斩断大地。这种剑一旦使用，可以匡正诸侯，让天下人全都归顺。这就是天子之剑。”赵文王听了后，心情迷茫，若有所失，说：“诸侯之剑是什么剑？”庄子说：“诸侯之剑，用勇气做剑尖，用清廉做剑刃，用贤能做剑脊，用忠诚做剑环，用豪杰做剑柄。这样的剑，向前直刺也没有阻挡，按剑向下也所向披靡；对上要顺天而为，对下要遵循四季，居中要符合民意。这种剑一旦使用，就能震撼边境，全部听从国君的指令。这就是诸侯之剑。”赵王说：“庶人之剑又是什么剑呢？”庄子说：“庶人之剑，就是头发杂乱，多汗毛，帽子压低，衣服紧身，眼睛瞪得很大而且气喘很粗，言语缓慢。相互在人前战斗，这就是庶人之剑。这和斗鸡是一样的，一旦生命消亡，对于国家没有益处。现在大王拥有天子之位，却喜好庶人之剑，我替大王感到不值得。”

于是赵文王带领庄子来到殿上。厨师献上美食，赵王围着座席惭愧地绕了三圈。庄子说：“大王安坐下来稳定气息，关于剑术的事情我已启奏完毕。”于是赵文王三个月不出宫门，剑士们都自杀于所居的客舍。